Coleção Literatura Brasileira

TOMÁS ANTÔNIO GONZAGA
1. MARÍLIA DE DIRCEU

MACHADO DE ASSIS
1. RESSURREIÇÃO • 2. A MÃO E A LUVA • 3. HELENA • 4. IAIÁ GARCIA • 5. MEMÓRIAS PÓSTUMAS DE BRÁS CUBAS • 6. QUINCAS BORBA • 7. DOM CASMURRO • 8. ESAÚ E JACÓ • 9. MEMORIAL DE AIRES • 10. CONTOS FLUMINENSES • 11. HISTÓRIAS DA MEIA NOITE • 12. PAPÉIS AVULSOS • 13. HISTÓRIAS SEM DATA • 14. VÁRIAS HISTÓRIAS • 15. PÁGINAS RECOLHIDAS • 16. RELÍQUIAS DE CASA VELHA • 17. CASA VELHA • 18. POESIA COMPLETA • 19. TEATRO.

LIMA BARRETO
1. RECORDAÇÕES DO ESCRIVÃO ISAÍAS CAMINHA • 2. TRISTE FIM DE POLICARPO QUARESMA • 3. NUMA E A NINFA • 4. VIDA E MORTE DE M. J. GONZAGA DE SÁ • 5. CLARA DOS ANJOS • 6. HISTÓRIAS E SONHOS • 7. CONTOS REUNIDOS.

JOSÉ DE ALENCAR
1. GUARANI (1857) • 2. A VIUVINHA (1860) - CINCO MINUTOS (1856) • 3. LUCÍOLA (1860) • 4. IRACEMA (1854) • 5. ALFARRÁBIOS • 6. UBIRAJARA (1874) • 7. SENHORA (1875) • 8 . ENCARNAÇÃO (1893).

MANUEL ANTÔNIO DE ALMEIDA
1. MEMÓRIAS DE UM SARGENTO DE MILÍCIAS

EDUARDO FRIEIRO
1. O CLUBE DOS GRAFÔMANOS • 2. O MAMELUCO BOAVENTURA • 3. BASILEU • 4. O BRASILEIRO NÃO É TRISTE • 5. A ILUSÃO LITERÁRIA • 6. O CABO DAS TORMENTAS • 7. LETRAS MINEIRAS • 8. COMO ERA GONZAGA? • 9. OS LIVROS NOSSOS AMIGOS • 10. PÁGINAS DE CRÍTICA • 11 O DIABO NA LIVRARIA DO CÔNEGO • 12. O ALEGRE ARCIPRESTES • 13. O ROMANCISTA AVELINO FÓSCOLO • 14. FEIJÃO, ANGU E COUVE • 15. TORRE DE PAPEL • 16. O ELMO DE MAMBRINO • 17. NOVO DIÁRIO.

BERNARDO GUIMARÃES
1. A MINA MISTERIOSA • 2. A INSURREIÇÃO • 3. O BANDIDO DO RIO DAS MORTES • 4. A ESCRAVA ISAURA.

MÁRIO DE ANDRADE
1. OBRA IMATURA • 2. POESIAS COMPLETAS • 3. AMAR, VERBO INTRANSITIVO • 4. MACUNAÍMA • 5. OS CONTOS DE BELAZARTE • 6. ENSAIO SOBRE A MÚSICA BRASILEIRA • 7. MÚSICA, DOCE MÚSICA • 8. PEQUENA HISTÓRIA DA MÚSICA • 9. NAMOROS COM A MEDICINA • 10. ASPECTOS DA LITERATURA BRASILEIRA • 11. ASPECTOS DA MÚSICA BRASILEIRA • 12. ASPECTOS DAS ARTES PLÁSTICAS NO BRASIL • 13. MÚSICA DE FEITIÇARIA NO BRASIL • 14. O BAILE DAS QUATRO ARTES • 15. OS FILHOS DA CANDINHA • 16. PADRE JESUÍNO DO MONTE CARMELO • 17. CONTOS NOVOS • 18. DANÇAS DRAMÁTICAS DO BRASIL • 19. MODINHAS IMPERIAIS • 20. O TURISTA APRENDIZ • 21. O EMPALHADOR DE PASSARINHO • 22. OS COCOS • 23. AS MELODIAS DO BOI E OUTRAS PEÇAS • 24. TÁXI E CRÔNICAS NO DIÁRIO NACIONAL • 25. O BANQUETE.

O CABO DAS TORMENTAS

Coleção Literatura Brasileira

Diretor editorial
Henrique Teles

Produção editorial
Eliana S. Nogueira

Arte gráfica
Bernardo C. Mendes

Revisão
Cláudia Rajão

Desenho de capa
Cláudio Martins

EDITORA GARNIER
Belo Horizonte
Rua São Geraldo, 53/67 - Floresta - Cep.: 30150-070 - Tel.: (31) 3212-4600
e-mail: vilaricaeditora@uol.com.br

3. O LIVRO DA VELHA.

Foi então que me comissionaram, a meu pedido, como diretor do Ginásio mantido pelo Estado na pequena cidade de Duas Ilhas, no Sul de Minas. Para lá me mudei com a mulher e os filhos. Nos primeiros meses melhorei de saúde, fizeram-me bem aqueles ares. Já pensava em voltar para Belo Horizonte, quando me acometeu grave congestão pulmonar. Durante dilatadas semanas fiquei chumbado ao leito. Estive, vai-não-vai, com um pé na cova. Se nela não resvalei, foi talvez por força de inércia, e não sei se para meu bem ou para meu mal. Morrer nem sempre é fácil. Muito tempo depois, já recobradas as forças, ainda me surpreendia de estar vivo.

Ia para duas semanas que eu me achava estirado na cama, em estado desesperador. O doutor Candinho, médico desveladíssimo e amigo muito dedicado, o melhor amigo que eu fiz em Duas Ilhas, não me saía da cabeceira. Uma noite, porém, fiado em melhoras aparentes, retirara-se mais cedo que de costume. Morava poucos passos adiante de nossa casa, na mesma rua. Em caso de necessidade, correria a ver-me, num pulo. Eram as dez da noite. Rendida de cansaço pelas penosas vigílias, minha mulher não tardou a mergulhar em profundo sono. As crianças dormiam com a nossa empregada Martinha, num quarto mais afastado. Só eu velava, ardendo numa febre altíssima, que me dava cabo das últimas forças.

Uma hora, duas horas, três horas transcorreram. Não se ouvia na casa o mais ligeiro rumor. Na rua, o mesmo sossego. Todas as coisas pareciam engolfadas em serena catalepsia, como no palácio da *Bela adormecida no bosque*. A febre cedera. Os pés, as pernas, os joelhos foram-me ficando frios, gelados. Sentia uma névoa nos olhos e um turbilhão na cabeça. Tentei mover um braço, uma perna. Em vão. Os membros, entorpecidos, não obedeciam à mente enfraquecida. Tive nesse momento a súbita convicção de que estava a expirar; a expirar pouco a pouco, devagarinho.

"Meu Deus!" pensei com ânsia, "estou morrendo!" O pavor da morte incutia-me novamente a ideia de Deus, que eu repelira com ceticismo no curso de minha vida adulta. Também eu fraquejava na hora tremenda e, como tantos outros ímpios, apelava *in extremis*, covardemente, para a ilusão do sobrenatural.

Certo de que estava moribundo, só me restava esperar no Senhor e confiar-lhe a minha pobre alma de animal religioso. Procurei lembrar-me do salmo *De profundis clamavi*... Ai de mim! a memória não me atendia ao triste apelo. Não havia remédio: tinha de ficar só com a minha aflição. A própria sensação de angústia cedeu, embotou-se, desapareceu. Já me sentia indiferente diante da vida, que me fugia manso e manso. Daí a instante seria o total aniquilamento, a não-existência...

Quis gritar pela mulher, para que me assistisse no derradeiro, transe. Impossível. A voz não me saía da garganta. Acontecimentos vários da minha vida, que pela maioria eu acreditava já esquecidos, acudiam-me de repente à

EDUARDO FRIEIRO

O CABO DAS TORMENTAS

2ª Edição

GARNIER
desde 1844

Dados Internacionais de Catalogação na Publicação (CIP) de acordo com ISBD

F911c Frieiro, Eduardo 1889-1982.
O Cabo das Tormentas / Eduardo Frieiro; — 2. ed. — Belo Horizonte, MG : Garnier, 2021.
124 p. : il. ; 14cm x 21 cm.

Inclui índice.
ISBN 978-85-7175-144-6

1. Literatura brasileira. I. Título.

CDD 869-8992
CDU 821,134,3(81)

Índice para catálogo sistemático:

1. Literatura brasileira 869.8992
2. Literatura brasileira 821.134.3(81)

ÍNDICE

Como se fosse um prefácio 9
1. Sou outro homem 12
2. Com os médicos 15
3. O livro da velha 20
4. Eu e Ricardina 25
5. Em casa da Durvalina 28
6. A bela Corália 33
7. Glória ao Mansueto! 37
8. Uma italianinha para três 42
9. Topei com a mulher fatal 44
10. Allegretto 48
11. Allegro 51
12. Appassionato 54
13. Horror ao lar 56
14. Irra, que já não posso mais! 60
15. O embrião indesejável 63
16. Um feticídio 66
17. Adeus, Belinha! 68
18. Tão simples, um tiro 70
19. Capitulação 73
20. Lei da constância adulterina 75
21. O sinal do Diabo 77
22. Leo Vikar 80
23. Se ciúmes matassem 84
24. O canapé estofado 87
25. O maldito telefone! 90
26. Humor de cão 94
27. Padre Delfino intenta reformar-me 95
28. A paz e a guerra na família 99
29. Duas criaturas perigosas 102
30. Na nossa pista 105
31. Eu, um tolstoiano. Ela, uma redimida 107
32. Não existe o crime perfeito 111
33. "Homo multiplex" 113
34. Estranho na própria casa 116
35. Tudo se paga 118
36. Normalidade 121
37. Últimas laudas 122

COMO SE FOSSE UM PREFÁCIO

Quando poderia eu imaginar que, em minha atividade de escritor, viesse um dia a escrever o prefácio de um livro de Eduardo Frieiro? Não falemos em idades... Mas só vim a conhecer realmente a força de um dos "monstros sagrados" da Literatura Mineira, em 1936, justamente quando aparecia este *O Cabo das Tormentas*, que causou certo furor à época. Furor é força de expressão, pois, não somente Eduardo Frieiro é daqueles a que eu chamo "escritores injustiçados" do Brasil (isto é, não são conhecidos como merecem), como também o seu modo de ser, retraído, pouquíssimo dado ao estardalhaço, publicando toda sua obra apenas em Minas (esta observação não é minha, é de Wilson Martins, um dos poucos que fizeram justiça ao nosso grande *clerc*), a edição limitada, a editora quase desconhecida, tudo isso fez com que o romance admirável fosse apreciado, discutido, elogiado apenas em roda de eruditos. E olhem que já se tratava do sexto volume publicado pelo grande e querido mestre. Lembre-se que em 1932 já fora dado ao prelo o clássico *A Ilusão Literária*, além de três romances e um ensaio delicioso, *O Brasileiro Não É Triste*.

Em 1936 era eu apenas um adolescente ávido de leituras, com uma formação meio acadêmica, deslumbrado com *A Réplica* de Rui Barbosa e os contos e crônicas de Humberto de Campos. Foi a leitura, lenta, anotada, de Tristão de Ataíde (que deslumbramento devo às seis séries de seus *Estudos*), foi minha entrada para "O Diário" no ano anterior, quando o contato mais íntimo com Oscar Mendes, Aires da Mata Machado Filho, Edgar de Godói da Mata Machado, Armando Más Leite e Milton Amado me forçou o conhecimento dos modernistas, que se deu a guinada e me obrigou a percorrer livrarias e em busca daqueles nomes de que se falava tanto e dos quais pouco ou nada eu conhecia. Aí começaram a me ser familiares os nomes de Carlos Drummond de Andrade, de Cyro dos Anjos, de Abgar Renault, de Guilhermino César, de Emílio Moura, de Mário Casasanta e de Eduardo Frieiro. Só depois vim a saber de sua ligeira oposição aos modernistas, mas Carlos Drummond diria dele que sabia fazer um romance moderno com material clássico, o que, aliás, é típico dos escritores excepcionais, que ultrapassam as escolas literárias ou os rótulos que lhes queiram impor. Dizia-se que era esquivo, pouco dado a rodas, mas relembra-me a vaidade interior um certo encantamento com que vim a saber que ele indagara quem era o J. E. F. que assinara uma pequena nota, se não me engano sobre *O Amanuense Belmiro*. O tom cerimonioso de nosso relacionamento só se desfez quando ele me enviou uma deliciosa carta sobre meu primeiro livro (tinha de ser de versos), *Dia e Noite*. De lá para cá, deu-me Eduardo Frieiro a honra de tratar como a um confrade, concedeu-me o voto para a Academia Mineira de Letras e fez questão de me ofertar todas as obras com dedicatórias honrosíssimas.

Mas, por que caminhos me ia perdendo, Santo Deus! Recebi a incumbência de prefaciar *O Cabo das Tormentas* e, vaidosamente, me pus a falar de mim mesmo. Creio que a vaidade aí se justifica. Pois repito a pergunta inicial: "Quando poderia eu imaginar que viesse um dia a escrever um prefácio a alguma obra de Eduardo Frieiro"? Tentemos, pois.

Non novi, sed nove — diziam os antigos. Eis-nos em face de um diário, forma bem frequente na prosa de ficção. Quem o escreve é Sezino de Sousa, "espelho de maridos, pai modelar, funcionário zeloso, cidadão edificante". Não me furto a abrir parênteses e dizer que, romance à parte, aí está um espelho fiel de nosso escritor. Deixemos, porém, o criador e voltemos à criatura. Ao completar quarenta anos, Sezino sente estranhas transformações em seu modo de ser. Chega a perguntar: "Eu vivera realmente, ou fora tudo um engano?" Inicia-se, então, a travessia do cabo das tormentas.

Não encontrei, nem nas *Frases Feitas*, de João Ribeiro, nem no *Tesouro da Fraseologia Brasileira*, de Antenor Nascentes, nenhuma glosa à expressão. Mas sei, desde longa data, que se refere ao período de crise por que passam muitos, na entrada dos quarenta. A alusão ao acidente geográfico do sul da África, que de Cabo das Tormentas se tornou Cabo da Boa Esperança, é evidente. Mas Sezino de Sousa não ultrapassou a fase tormentosa, por mais que se tenha julgado vencedor no jogo em que se empenhou. Poderia dizer, no final, o que dissera logo às primeiras páginas: "Vivemos todos como sonâmbulos".

Acompanhamo-lo em suas peregrinações. Sentimos, com ele, o medo da morte. A seu lado, percorremos consultórios médicos. Mas o "demônio do meio dia" já se instalara nele: "Sou serenamente incrédulo", afirmará. Mais adiante, porém, dirá estranhamente: "Deus morreu para muitos homens. Mas o Diabo continua vivo..." exercendo sempre a "atração misteriosa do pecado". Um ateu realmente diferente.

O diário continua a nos envolver no emaranhado das andanças de Sezino de Sousa. Conhecemos a esposa Ricardina, que o encantara outrora e agora já não mais o prende. Dos filhos fala pouco, mas dá-nos perfis admiráveis do Padre Delfino, de D. Milica, sogra até a extrema ponta de si mesma, de Cesário Louro, o trêfego tartufo, da cafetina Durvalina, da bela Corália, da graciosa Gioconda, e, sobretudo, de Belinha, "a que veio ao mundo carregada de eletricidade sexual", casada com o estranho Leo Vikar. Sezino se tornará amante de Belinha, e a audácia do romancista o leva a colocar três e até mesmo os quatro elementos dos dois casais em entrevistas as mais curiosas.

Situações chocantes começam então a surgir. Em 1936, Belo Horizonte era ainda pouco mais do que uma aldeia. Cartas e telefonemas anônimos. Acareações e acusações familiares. Encontros secretos, mas descobertos por espiões e candongueiros. Até o final brutal, que só não é granguinholesco porque Eduardo Frieiro leva, quase ao exagero, a contenção com que Deus o aquinhoou e ele cultiva com absoluto bom gosto. O diário se encerra com esta. frase final, que nos leva a pensar em Machado de Assis: "Careço totalmente de fé religiosa. Ainda assim, penso em ir ajoelhar-me aos pés de Padre Delfino, com as palavras do *Confiteor* nos lábios: *Mea culpa, mea maxima culpa*... Não para salvar a alma, em cuja imortalidade não creio, mas para tentar alguma coisa que minore a tristeza e a miséria moral que abateram sobre mim". "Por que Machado de Assis? Pela "carência total de fé religiosa"? Pelo final de um patético contido como o de *Quincas Borba* ou as *Memórias Póstumas de Brás Cubas*? Ou porque, para qualquer autor excepcional com que nos deparamos, faz-se imediata e incoercivelmente a comparação com o Bruxo do Cosme Velho? Não sei. Ocorreu-me a referência a Machado de Assis ao correr dos dedos sobre o teclado da máquina. De resto, creio que Tristão de Ataíde se referiu, em alguma parte, ao toque machadiano de muitas personagens dos romances de Eduardo Frieiro.

Os leitores de idade provecta sabem que se trata de um *roman à clef*, isto é, baseado em figuras e fatos reais, mas, evidentemente, transfigurados pela arte de nosso mestre e amigo. Sabem mais que foi uma espécie de brincadeira, cheia de graça, malícia e gosto, com pessoas amigas. Mas é preciso que fique bem claro: um romance deste tipo não é bom por ser à *clef*, mas por ser *bom* romance. E de *O Cabo das Tormentas* se há de dizer que não é apenas um bom romance, mas um romance excelente, fora de série. De modo que o leitor de hoje o lerá como se estivesse em face da mais lídima e pura ficção. Eu mesmo confesso que desconheço a figura real de muitas das figuras de mentira que desfilam diante de nossos olhos. Não é por basear-se em figuras reais que Proust é gênio. Ou Lima Barreto. É porque ambos souberam trançar os fios do tecido, dando-lhes sangue, vida, alma, perenizando-as, portanto.

Há mais de meio século, Eduardo Frieiro vem brilhando no cenário da Literatura Mineira. Aliás, se alguma restrição tivéssemos a fazer ao autor insigne, seria a lamentação por ter-nos dado tão pouco de seu engenho e arte. Apenas dezesseis livros. Seu extremo bom gosto, sua severa autocrítica, sua modéstia nos hão de ter privado de muitas mais coisas saborosas. Sim, porque agora, percorrendo a relação das "Obras do Autor" verificamos uma coisa que de bem poucos escritores, mesmo os mais abundantes, se poderá dizer: de *O Clube dos Grafômanos* até *O Elmo de Mambrino*, não há sequer um livro *menor*. Mais volumosos uns, menos outros, são todos grandes livros. A língua — será preciso repeti-lo? — faz de Eduardo Frieiro um dos maiores estilistas em português. A cultura humanística nos enleva e nos causa aquela admiração de ver o puro autodidata que aprendeu línguas embrulhando pães e trabalhando em tipografia. A fabulação dos romances é de um demiurgo.

Daí porque um pequeno aprendiz de escritor, um devoto da prosa impecável de Frieiro, o menor de seus amigos e admiradores, se sente desvanecido e honrado em unir seu nome ao dele, nisto que é "como se fosse um prefácio", mas que faço questão de proclamar que é muito mais ato de pura e alegre louvação.

JOÃO ETIENNE FILHO

Junho de 1981

1. SOU OUTRO HOMEM.

25 de Abril de 1934.

Esta manhã encontrei a minha mesa de trabalho alegrada com uma jarra cheia de rosas sanguíneas, belíssimas. Mal me viram, os meus pequenos correram a abraçar-me com alvoroço.

"É isso, é isso", disse eu comigo, um tanto contrariado. "Aconteceu-me uma coisa desagradável: faço anos hoje".

Quantos? Preferiria não o saber. Aborreço a data do meu nascimento, que me lembra que estou envelhecendo. Quando já se transpôs a casa dos quarenta, todo aniversário a mais não pode trazer senão motivos de tristeza. É a mocidade que se foi; é o declínio do vigor físico, justamente quando pedimos à existência mais intensas satisfações; é a velhice que se aproxima, com a sua fealdade e as suas misérias; é a vida a fugir-nos rapidamente, a esvair-se como o sangue inestancável duma veia aberta; é a morte a espreitar-nos, cada vez mais próxima de nós. O envelhecer não custa; o que custa e põe crispações na alma é a consciência de que estamos envelhecendo. Perguntei certa vez a um velho negro que idade tinha. O negro ancião sorriu com indiferença: nunca tivera idade. Assim deveríamos viver todos.

Não é insensato festejar-se a data natalícia de pessoas que já não são jovens? Claro que sim. Porém mais insensato ainda, bem o sei, é o meu medo de fazer anos. Só temos no entanto um meio, nós homens maduros, de conjurarmos a influência deprimente dos aniversários: é esquecermos o dia, já bem recuado, em que viemos ao mundo.

Minha mulher quer que eu me confesse, a exemplo do que faço todos os anos, nesta ocasião, só para lhe ser agradável. Mas desta vez põe em seu rogo um empenho muito especial. A boa e dedicada criatura tem sofrido muito por minha causa, ultimamente. Já não sou o melhor dos maridos, nem o pai de família exemplaríssimo que fui durante quinze anos de vida matrimonial.

Estou mudado, esta é que é a verdade. Ao dobrar o cabo dos quarenta anos, que costuma ser tormentoso para muitos, operou-se em mim uma profunda transformação. Eu, Sezino de Sousa, espelho de maridos, pai modelar, funcionário zeloso, cidadão edificante, fui-me sentindo aos poucos outro homem, diferente, estranho a mim próprio. Como se deu semelhante transformação? A princípio, a mudança foi inconsciente e, por certo, fisiológica. Depois, acabei notando que o meu ser interior, a minha vida afetiva, aberrava do que sempre fora; meus pensamentos e minhas ações estavam em frequente desacordo com os meus hábitos. O Sezino de Sousa da atualidade não conferia com o Sezino de Sousa do tempo passado.

Observava-me, interrogava a minha consciência, gravitava em redor de mim mesmo, analisava meus contornos e correlações, apalpava-me, escrutava-me, buscava definir-me como uma coisa entre coisas, e não me reconhecia. A paisagem do passado aparecia-me como difluída numa bruma; paisagem aflitiva como o pesadelo duma noite de indigestão. Mais de meia existência lá se fora, monótona, opaca, laboriosa, cuja lembrança me deixava no espírito, quando procurava restituí-la, uma impressão de susto e pesadume. Eu vivera realmente, ou fora tudo um engano? Mergulhava na memória do passado e só descobria a nulidade, o absurdo total do meu destino.

Vivemos todos como sonâmbulos. Pela maior parte, nossos atos são simples automatismos de instintos, hábitos ou ideias que surdem e nos põem em movimento sem que lhes saibamos as razões. Ora, eu estava firmemente determinado a romper com esse automatismo e a mudar o curso de minha vida. Queria fazer da minha personalidade uma síntese consciente, uma criação do espírito, uma obra de arte, em suma.

Quando menos era de esperar, os suportes do meu ser moral estalaram, cederam, deixaram-me desamparado. O homem de bem, que eu sempre fui, veio abaixo e fez-me em pedaços. Estou agora a caminho de me tornar um perfeito canalha. O repentino desvio do meu caráter espanta os que me conhecem e causa fundos desgostos à minha mulher.

Pobre Ricardina! Há muito que ela vem insistindo para que eu me confesse ao padre Delfino, seu diretor espiritual. Tornou a falar nisso hoje, quase implorante, os olhos pisados e úmidos de chorar:

— É o último favor que te peço... Podes fazê-lo por mim e pelos nossos filhos? Se ainda nos guardas alguma afeição, vai, confessa-te...

Fechado na minha resistência, limitei-me a responder:

— Para quê? Não tenho fé. Confissão assim não vale nada.

E ela, obstinada:

— Vale, sim. Como não vale? No ato da confissão, a graça de Deus descerá sobre ti.

Dei de ombros e voltei-lhe as costas.

Minha mulher espera que eu faça ato de contrição e volte a ser o que era dantes.

— É uma crise moral por que passam muitos homens, disseram-lhe pessoas amigas, e ela acreditou.

— Está enfeitiçado por alguma mulher, opina minha sogra, mais positiva.

— Abalo do sistema nervoso, consecutivo à grave enfermidade que o acometeu, pondera o médico de nossa família.

— Isto passará, dizem todos, afinal.

Diagnósticos mais ou menos certos. Prognóstico incerto. Crise moral, neurastenia, paixão desatinada por uma mulher, tudo isso é verdadeiro, e devem encontrar-se aí, provavelmente, os principais motivos que deram origem à transformação de meu caráter. Seja lá como for, o fato é que eu me sinto diferente do que era e estou decidido a orientar-me por uma via bem diversa. Não encontro em meu foro interior novas razões para perseverar no amor ao trabalho, na devotação à família e no respeito aos deveres sociais. Magnificar-me nessas virtudes seria o ideal. Careço porém de forças para me superar em tal sentido. E na idade crucial em que me acho, e dadas as circunstâncias de minha vida, seria muitíssimo triste para mim se não pudesse renovar-me, ainda que para pior.

Quero ver até onde me conduz o meu propósito. Conseguirei mudar o meu destino, inventar uma nova expressão de vida? A coisa é difícil, talvez impossível. Tenho entretanto a certeza de que já não sou o mesmo homem.

Um dia destes fiz a mim mesmo esta interrogação: estarei em verdade mudado, ou só agora nasço para a vida plena e consciente? Lembrava-me haver lido, tempos atrás, uma obra de certo professor norte-americano, intitulada precisamente: *O Homem Nasce aos Quarenta Anos*. Se assim é, disse comigo, para que serve a mocidade? Servirá apenas como preparação para a idade madura? Deve ser isso, pensei então. Sim, deve ser isso, penso ainda agora, com maior convencimento. Inclino-me a crer que só depois de transposto os quarenta anos comecei realmente a viver. Quero, quando nada, acalentar esta ilusão.

2. COM OS MÉDICOS.

Maio. — Junho.

Atribuo a um pequeno acontecimento íntimo, aparentemente inexpressivo, a súbita iluminação da verdade de minha vida. Quero rememorá-lo, com seus antecedentes mais próximos e também com alguns fatos subsequentes, nestas páginas que não são propriamente de Diário nem de Memorial e sim o solilóquio escrito de alguém que não se limita a viver mas tem o hábito de se observar a viver e, como interessado espectador de si mesmo, se inclina para a própria realidade com o intento de a esclarecer, a fim de conhecê-la e possuí-la melhor.

Durante cerca de vinte anos, dividi todo o meu tempo útil entre o emprego que tenho na "Seção Técnica do Ensino Público Primário" e as lições de português e latim que dava quase diariamente: aulas pela manhã e aulas à noite. Resultado da trabalheira: de uns anos a esta parte abalou-se-me a saúde, só há pouco inteiramente restabelecida.

O primeiro médico que então consultei notou o funcionamento um pouco alterado do fígado, do rim e do sistema nervoso central. Esfalfamento, neurastenia: assim me disse ele. Mas não me deu alívio.

Fui a outros. Um especialista viu em mim, como invariavelmente via em todos os seus clientes, um portador de treponemas, embora o meu Wassermann fosse negativo. Durante alguns meses sujeitou-me ao tratamento específico da lues: neo-salvarsan, bismuto, mercúrio. Tomei tantas injeções intramusculares, que as minhas partes mais carnudas, picadas pela agulha, se transformaram em superfícies esfuracadas e endurecidas, com grandes e irredutíveis nódulos lenhosos e largas manchas azuis, amarelas e roxas. Tratamento perdido. Sacrifício inútil dos meus deltóides, tricípites e glúteos.

Outro, tendo pedido a radiografia de meus dentes, e julgando ver focos de infecção em todos eles, quando lha levei, reenviou-me ao dentista para que mos arrancasse, sem deixar um.

— Todos, doutor? perguntei, não cabendo em mim de espantado.

Todos, disse ele, peremptório, inexorável. O senhor é um piófago contínuo...

Esbugalhei uns olhos interrogativos. O médico explicou, incisivo, apontando para mim um dedão muito comprido:

— Quero dizer que o senhor deglute, que o senhor come o pus que se forma continuamente na sua boca em deploráveis condições de septicidade. Com o pus vão os germes de doença, causadores dos sintomas de auto-intoxicação.

— Com que então?... balbuciei.

— É como lhe digo: o senhor engole, o senhor manja o pus que se forma nos seus dentes infeccionados.

Não fez caso da minha cara alarmada, uma cara que pedia misericórdia. Insistiu para que eu fosse primeiro ao dentista. Impunha-se uma intervenção radical sobre os focos purulentos, e só depois de feito esse tratamento particular é que ele poderia cuidar convenientemente do meu estado geral.

Eu estava disposto a consentir na destruição total da minha dentadura, que é forte e bonita e, com o auxílio de dois *pivots* e um *bridge*, pode considerar-se completa. Eu estava disposto a tudo. Minha mulher, porém, horrorizada, opôs-se à bruta mutilação: não me queria banguela!

Um amigo aconselhou-me:

— Procure o doutor Benfica, psicanalista. O doutor Benfica cura tudo — até verrugas — por meio da psicanálise e da sugestão.

Corri a vê-lo. Moreno bronzeado, o rosto quase glabro, largo, com os malares acentuados, o doutor Benfica, moço ainda, pareceu-me um tipo simpático e bem falante.

Contei-lhe, da melhor forma que pude, a história dos meus achaques. Sofria do estômago e de horríveis insônias; quando dormia, meu sono era entrecortado de sonhos penosos. Já não trabalhava com gosto. O menor esforço da vontade era seguido de tédio e cansaço. Andava inquieto e triste. Via as coisas mais simples através de negro pessimismo. Pensamentos aflitivos assaltavam-me o espírito, sem nada que os justificasse. E por aí além.

O doutor Benfica ouvia-me com atenção e tomava notas rápidas numa ficha.

— Perdi oito ou dez quilos, em poucos meses...

— Não lhe fazem falta, respondeu-me ele. O senhor tem ainda muito lastro.

Com efeito, aqueles oito ou dez quilos perdidos não me faziam falta. Ao contrário: eram água e gordura; saíram-me das partes adiposas e principalmente do abdome, que começava a ser invadido por uma enxúndia má. Restavam-me ainda mais de setenta, bom peso para a minha estatura pouco acima da mediana.

— Seu físico não mostra doença, disse o médico.

— Entretanto, sinto-me realmente mal. É como se a doença me entrasse por todas as janelas do corpo.

— Imaginações. Sua moléstia é unicamente de natureza psíquica. A velha máxima *mens sana in corpore sano*, tão citada, nem sempre é verdadeira. Um físico robusto e florescente pode muito bem ocultar toda a sorte de estigmas de psicopatia e neuropatia. Seus males são morais, só e só.

Eu insisti:

— Perdão, doutor. Creio que são também físicos. Sofro do estômago, Sinto peso na cabeça, tenho prisão de ventre...

Os olhinhos negros do doutor Benfica relampejaram, cravando-se em mim, escrutadores:

— Prisão de ventre? O senhor disse prisão de ventre?

Movi a cabeça, afirmativamente.

— Desde a mais tenra infância, não é verdade?

Tornei a mover a cabeça, concordando.

— Oh! o senhor não faz ideia... É um dado psíquico de irrecusável importância! São raros os neuropatas que não têm hábitos escatológicos especiais...

Pensei que estivesse a mangar comigo. Mas enganava-me: o discípulo brasileiro do professor Freud falava a sério. Atentei então no seu olhar, que me pareceu vivo e inteligente, porém um tanto desvairado. E atalhei logo:

— Desde a infância, não, doutor. É coisa muito recente. Sempre gozei boa saúde. Só agora é que ando perrengue, com a macacoa.

Notei que ficara desapontado. Riscou a "prisão de ventre" que já havia registrado com satisfação na minha ficha, e recomeçou o interrogatório. Fez-me intermináveis perguntas, informando-se de preferência acerca de pormenores de minha vida íntima; perguntas, que eu, ignorante da técnica psicanalítica, achei pela maior parte indiscretas e desnecessárias. Obrigou-me a uma confissão completa, a "uma boa anamnese", como se diz em gerigonça médica.

O doutor Benfica dissipava com um gesto ou uma negaça de cabeça a suposta importância das minhas revelações.

— Nada disso, dizia-me. Narre-me, principalmente, fatos e impressões dos primeiros anos da infância.

— Impossível, doutor. As impressões que me ficaram da infância são muito vagas... uma poeira mental. . . Além disso, ando fraco de memória.

— Conte-me os sonhos que teve por último. Os sonhos são as realizações veladas de certos desejos reprimidos. O senhor me disse que o seu sono é agitado de sonhos penosos...

— Sim, mas os sonhos são confusos, obscuros, sem sentido...

— Quanto mais confusos e obscuros são para o paciente, mais claros e significativos se apresentam à onirocrítica do psicanalista. Procure recordar-se de algum.

— Não me lembro de nenhum, gemi. Minha memória é uma lástima, doutor.

— Compreendo. A memória recusa-se a revelar os seus segredos, reprime no esquecimento os elementos sexuais, vergonhosos, do conflito que provoca a moléstia. Vamos, faça um esforço, desabafe os seus recalques. A ansiedade de que o senhor se queixa é uma das reações do Ego contra a violência dos desejos sopitados. Descarregue os seus complexos. Areje o Id. Como tantos outros neuróticos, o senhor não venceu interiormente o "complexo do Édipo". É forçoso investigar esse e outros complexos, inclusive "o de castração", retidos nos esconderijos sombrios e malsãos do inconsciente. Havemos de trazê-los à superfície e torná-los inteligíveis, conscientes. Só então será possível compreender a origem do seu estado mental.

Falou, falou, com agradável facilidade e deu enfim por terminada aquela primeira consulta, dizendo-me que voltasse nos dias subsequentes, a fim de proceder a uma lenta e minuciosa exploração do meu inconsciente, até à confissão formal e espontânea do acidente psíquico que dava origem aos males que me afligiam. Receitou-me, por último, um hipnótico que me daria o desejado sono e também muitos sonhos, os sonhos de que ele precisava para decifrar o meu caso e curar-me a nervosidade.

Simpatizei com o doutor Benfica. Creio que ficamos amigos. Mas não tomei o hipnótico que me recomendou, nem voltei ao seu consultório.

Fui a outro médico, desta vez um velho e reputado clínico, o qual, depois de me ouvir e examinar, diagnosticou: "Má higiene alimentar, falta de exercícios musculares, abuso do café e do fumo, vibração excessiva do sistema nervoso. Astenia".

Tranquilizando-me, disse:

— Tudo isso se corrigirá.

A seguir, fez-me uma longa dissertação sobre a natureza dos meus incômodos. Pertencia o médico à geração dos que reduziam uma porção de doenças a um denominador comum: o artritismo. Falou-me em "afrouxamento da nutrição", fenômeno que pode causar múltiplos acidentes congestivos. Disse-me que os males do artritismo atacavam principalmente os burocratas, os homens de gabinete, os escribas em geral; enfim, toda a espécie de pessoas que vivem sentadas; tanto vale dizer, a gente de minha espécie. A vida que estas pessoas levam, vida sedentária, concentrada, sem exercícios musculares ao ar livre, não permite uma satisfatória eliminação das toxinas, dos resíduos nocivos da nutrição. Era esse precisamente o meu caso, rematou o clínico. Daí a estafa, o esgotamento nervoso.

Pegando a pena, encheu rapidamente uma folha de papel com a receita dos remédios que eu devia tomar, explicando-me o seu uso e aconselhando-me um regime alimentar especial. Dobrou o récipe e entregou-mo, porém mudando logo de ideia, tornou a estender-me a mão:

— Dê cá a receita, pediu, com um brilho expressivo nos seus olhos limpos e serenos de setuagenário bem conservado. Dê cá... É melhor não tomar nada. Para quê? O senhor ficará bom da mesma maneira.

Não lhe estranhei muito o gesto. O velho facultativo não era daqueles que fazem prosperar as enfermidades. A experiência que tinha de sua arte — quase meio século de prática médica — ensinara-o por certo a duvidar da virtude dos medicamentos que receitava. Era como o juiz que sentencia com ceticismo por não ver possibilidade de se fazer justiça justa, ou o sacerdote demasiado tolerante que não crê na eficácia de sua pregação moral, ou o literato enfartado de literatura que subestima aquilo que mais preza na vida; enfim, como o profissional já um tanto ou quanto desenganado da própria profissão, pela experiência que tem de suas insuficiências.

Explicando-se, me disse em conclusão:

— Remédios não adiantam, em casos como o seu. Siga o meu conselho: mude de vida e procure outros ares. Por que não vai para o Sul de Minas? Faça uma estação de águas. Evite os excessos de trabalho e as preocupações de espírito.

Não era fácil para mim, homem de poucos recursos e escravo do meu emprego, transportar-me com a família para um lugar afastado de Belo Horizonte. Além disso, eu não podia interromper, no momento, as minhas aulas de português e latim, em vésperas de exames, como se achavam os meus alunos.

Continuei com a minha macacoa em peregrinação pelos consultórios. Os médicos atraíam-me. Percorria com interesse os anúncios que estampavam nos jornais. Um dia li este: *Dr. Marcos Espinosa, endocrinologista. Ex-assistente do Instituto Biotipológico-ortogenético, do Rio. Tratamento opoterápico das perturbações endoglandulares. Determina a fórmula hormônica dos indivíduos.*

"Vou ver esse charlatão", disse comigo.

O doutor Marcos Espinosa, moço claro e rosado, de fala morosa e modos macios, mediu-me em todos os sentidos. Estudou as proporções das grandes partes do meu corpo, comparando-as entre si. Apalpou, tocou, auscultou. Fez-me perguntas sobre o funcionamento dos órgãos.

— Preciso saber, antes de nada, disse-me então, se o senhor é um pituitário, um hipertireoidiano ou um supra-renal deficitário. Preciso também de seu radiograma e seu electrocardiograma. Examinados os valores funcionais dos diversos aparelhos orgânicos, obterei a sua chave endócrina e poderei agir com o tratamento adequado.

Que maçada! pensava eu, aborrecido. Todos aqueles exames custar-me-iam um dinheirão.

— E antes disso, murmurei, não tem uma palavra para me dar?

— Tenho. Posso afiançar-lhe desde já que a debilidade glandular é evidente. Mas ainda não possuo elementos para deduzir com segurança o seu biótipo. Em todo o caso, creio poder classificá-lo entre os temperamentos esquizóides, de polo anestésico, grupo dos indiferentes.

Lembrando o que me dissera o esculápio consultado por mim a derradeira vez, aludi ao meu "temperamento artrítico". O endocrinologista sorriu com superioridade, e retrucou:

— Ora, ora... Artritismo é uma palavra sem sentido, pseudocientífica, que só serve para mascarar a nossa ignorância. Uma enfermidade, cuja causa os facultativos desconheçam, é artrítica, até opinião em contrário. Neurastenia? Artritismo. Eczemas? Artritismo. Calos nos pés? Artritismo. Canície precoce? Artritismo. Calvície? Artritismo. E uma de tantas fórmulas mágicas com que os médicos buscam tranquilizar os doentes e salvar o próprio decoro. Lérias...

E a seguir, por mais dum quarto de hora, me entreteve com uma instrutiva preleção acerca da moderna teoria das glândulas de secreção interna.

Dei como perdida mais essa consulta. Renunciava a conhecer a minha chave endócrina. Não fazia questão de que me decifrassem o caráter, nem cria que alguém pudesse decifrá-lo. Pedia razões, engambelavam-me com palavras; queria resultados e pagavam-me com promessas. Tenho alguma fé nas novidades da medicina e nas terapêuticas em moda, que devem ser aproveitadas enquanto fazem algumas curas; porém fio pouco dos médicos ainda verdes. Contudo, para ser justo, devo dizer que nem de médicos novos nem de médicos velhos alcancei o pronto remédio que buscava para os meus padecimentos.

A doença tornara-me impaciente e amargo, com um medo louco de morrer. Minha sogra, que é uma epítome de gnomologia devota, procurava incutir-me serenidade, com sentenças como esta: "Só o pecador se amedronta quando pensa na hora de prestar contas a Deus". E acrescentava, a desfiar o seu rosário de máximas e parábolas piedosas: "O bom cristão considera-se hóspede e peregrino neste mundo. Por isso, embora não receie a morte, está sempre preparado para recebê-la, pois na hora em que menos se pensa, virá o Filho do homem, como falou São Lucas". Achava injustificados os meus temores, dizia ela; mas como o fiel não deve ser colhido de improviso parecia-lhe salutar que eu fosse castigando o corpo pela penitência, a fim de que, chegada a minha vez de abandonar este vale de lágrimas, eu me pudesse antes alegrar que temer.

Deu-me a ler a *Imitação de Cristo*, onde ela se abastecia de sentenças. Deu-me o sublime livrinho aberto no capítulo *Da meditação da morte*, que começa assim: "Mui de-pressa chegará teu fim neste mundo: vê, pois, como te preparas: hoje está vivo o homem, e amanhã já não existe".

Terrível maneira de infundir tranquilidade num espírito desvairado pelos temores da doença e da morte!

lembrança, a partir dos mais recentes para os mais remotos, e, coisa curiosa, à medida que a memória os trazia à superfície como o líquido duma cisterna chupado por uma bomba aspirante, as circunstâncias do passado, ainda as mais insignificantes, apareciam-me com uma nitidez cada vez maior. Por fim, só me restavam as impressões da meninice, tão vivazes como se fossem daquele momento. Minha memória regressiva tocava já o fundo do poço e as últimas recordações estavam prestes a esgotar-se no derradeiro glu-glu do sifão. "Esvaída a memória", pensei, "com ela se abolirá a vida, no desfecho fatal".

Quanto tempo permaneci em estado de síncope, quase defunto? Alguns segundos? Alguns minutos? Não sei dizer. Talvez uma hora, talvez mais. O certo é que chegou um momento em que eu, sentindo calor no quarto, achei conveniente sair fora para tomar a fresca da noite e espairecer um bocado. Saí mesmo descalço e em cabelo. Raiava a madrugada, Dirigi-me para uma campina verdejante que ficava nas proximidades de minha casa. Com que delícia eu metia os pés nus na relva empapada de orvalho! Uma verde colina, suavemente arredondada, tomava as três quartas partes do meu horizonte visual. Ao fundo e ao alto, na parte restante, um céu crepuscular, encarnado, pudibundo, com a lua em quarto minguante. Tudo muito perto, muito estilizado, como um cenário de teatro pintado por um artista expressionista. Uma velha corcunda e zarolha, duma fealdade singular, descia por um caminho sinuoso. Parecia a magra fada Carabossa, que eu conheci em menino quando folheava livros de estampas. Vinha arrastando, sem esforço aparente, um livrão quase do seu tamanho. Já no sopé da colina, sentou-se à beira do caminho e entreteve-se a folhear vagarosamente o enorme cartapácio. Folheou-o tão devagar que eu pude ler-lhe o contêxto. Mesmo de longe e sem auxílio de lentes de aumento, consegui deletrear com facilidade a magnífica letra de mão com que estava escrito o estranho *in-folio*. Que continha ele? Não tardei em sabê-lo. Continha nada mais e nada menos que a biografia moral de todas as pessoas falecidas em Duas Ilhas, desde os primeiros tempos de sua fundação até o último óbito ali ocorrido. Claro que o meu interesse subiu de ponto quando começaram a aparecer os nomes de pessoas que eu conhecera vivas na cidadezinha. Como no livro do Anjo, *in quo totum continetur, unde mundus judicetur*, a vida dessas pessoas estava escrita com perfeita exação, fazendo-se juízo de cada uma delas segundo as suas obras. Nada se omitia. E o biógrafo era severo, caramba! Que abundância de vícios e que penúria de virtudes! A maior parte daquela gente — a coisa não oferecia dúvida — merecia largamente o Inferno.

A velha ia voltar a página final. Minha curiosidade chegara ao paroxismo: a viva emoção de todas as metas. Quem teria morrido por último, talvez naquele mesmo instante, na cidadezinha de Duas Ilhas? Como se houvesse adivinhado meu pensamento, a velha baixou um pouco a cabeça e olhou-me fixamente por baixo dos óculos, arrebitando mais ainda o queixo recurvado e unindo-o quase ao nariz adunco, junto à boca desdentada. Era de ver a ronha infinita com que fixou em mim o seu olho ramelento e único! Parecia dizer-me:

— Queres saber, curioso? Pois então, olha...

E virou a folha, devagar, devagarinho... Li então, horror! li o meu próprio nome escrito em letras unciais na cabeça da página. Era lá possível?! Estaria eu morto, de verdade? Estava, sim; estava morto e bem morto. Com a crise da véspera, soara para mim a hora derradeira.

"Mas", pensei eu, reparando melhor no livro da velha (e aqui um clarão de esperança me iluminou a alma), "o nome que ali se lê é *Sizínio de Souza*. Não é assim que o meu nome se escreve. Chamo-me Sezino e não Sizínio. E Sousa, meu sobrenome, sempre o escrevi com *s*, e não com *z*. Sizínio de Souza é quase o meu homônimo, sem ser o meu homógrafo. Algum indivíduo desse nome — indivíduo provavelmente humilde, ignorado — podia muito bem ter existido na cidade. Será ele o defunto".

Ilusória sofisticação. O defunto era eu mesmo! Como acontece frequentemente nos jornais, também se estropiavam nos registros de além-túmulo os nomes próprios. Lá estavam bem claras, ai de mim! de modo a não deixarem dúvidas, todas as variações do meu estado civil, desde a data em que nasci até o último assentamento, feito ainda de fresco com letra bem legível e caprichada: *falecido*. Lá estavam, como referências, os nomes de meus pais, minha mulher e meus filhos... Comparada com a enormidade do meu desespero, a consternação de Job devia parecer um amuo de criança que sofre de lombrigas. Não, não era possível! Eu não acabava de crer que já era cadáver. Parecia-me ainda muito cedo para morrer. Uma voz interior sussurrou-me baixinho: "O Céu compensa de tudo". "Sim", disse comigo, "se houvesse Céu e os meus atos fossem os dum justo..."

Foi então que me decidi a ler, com o coração opresso e pequenino, o que havia no livro a meu respeito. A lacônica notícia biográfica a mim dedicada dizia apenas isto:

Caráter débil. Vontade frouxa. Inteligência comum. Homem sofrivelmente honrado e cordato; incapaz, por igual, de fazer o mal ou de fazer o bem. Meão no vício e na virtude. Nem feliz, nem infeliz. Nenhum grande amor, nenhum ódio forte.

E logo abaixo, numa chave:

Filho
Irmão
Esposo
Pai   Medíocre
Amigo
Cidadão
Cristão

Curvei a cabeça, acabrunhado. Mediania, mediania... Minha vida fora um completo malogro: vida inútil, amorfa, sem expressão. A morte havia sido o único acontecimento relativamente notável da minha apagada existência. Em suma: eu não era digno do Céu nem merecia o Inferno. Ia vegetar no limbo, com toda a certeza. Ou quem sabe, pensei, não teria eu de voltar à terra para encetar nova existência e tornar-me santo ou demônio, herói ou bandido?

Torturado por estes e outros pensamentos aflitivos, eu mergulhara em morna desesperação, quando me chegou aos ouvidos uma ordem esdrúxula, proferida em voz a um tempo imperativa e ansiosa:

— Martinha, traze depressa o angu!

Fora tudo um sonho de doente. Passada a síncope, o cérebro recomeçara a trabalhar; a imaginação, escaldada pela febre que voltava, recobrara a sua função de elaboradora caprichosa do real. Ao dar acordo de mim, notei a presença do doutor Candinho, sentado ao pé da cama, a fitar-me escrutadoramente com os seus olhos redondos de pássaro. Junto dele, em pé, minha mulher olhava para mim com afetuosa ansiedade. Nesse mesmo instante, aparecia à porta a nossa empregada Martinha, trazendo na mão uma panela. Era o angu para um emplastro.

— Você estava salvo, disse-me Ricardina algum tempo depois, quando eu já entrava em franca convalescença. Foi um milagre.

— Creio que ressuscitou dentre os mortos, como Lázaro, concordou o doutor Candinho, que passava a noitinha em nossa companhia.

Minha mulher tinha essa convicção. Ninguém lhe tirava da cabeça que aquilo fora um milagre de Santa Teresinha do Menino Jesus a quem ela fizera uma grande promessa.

— Naquela noite, contou-me Ricardina, imaginando que estivesse melhor, consenti em passar por uma madorna, já quase de madrugada. O cansaço era grande demais. Ali mesmo na cadeira, perto da cama, caí num sono profundo. Mas Santa Teresinha velava por nós. Mimi, andando aos ratos na sala de jantar, deitou abaixo a bandeja com a louça do café que ficara no aparador. O barulho da louça quebrada despertou-me em sobressalto. Era um sinal. Sim, era um sinal do teu anjo da guarda. Quando pus os olhos em ti, ainda estremunhada, notei que estavas inteiriçado como um cadáver. Sem saber mesmo se ainda respiravas ou não, envolvi-me no chale e saí doida para a rua em busca do doutor. Compreendendo a extremidade do caso, o doutor Candinho não tardou em acompanhar-me. Veio mesmo de roupão e chinelas.

Logo, voltando-se para o médico, murmurou:

— Deus lhe pagará a grande caridade...

O doutor Candinho agradeceu com uma inclinação de cabeça e disse que não fizera mais que cumprir seu dever de médico e amigo.

Dirigindo-se a mim, acrescentou:

— O quadro clínico não permitia naquele momento a mais ligeira esperança. Verifiquei, logo de começo, o "ritmo de Cheyne Stokes", perturbação respiratória que se encontra na maior parte dos estados agônicos. Você, meu caro, tinha entrado em franco processo de morte. Para reanimar por alguns minutos o que ainda restava com vida, recorri, sem convicção, a injeções de óleo canforado e consenti que se preparasse um emplastro. O fato é que, contra a lógica das coisas, você começou daí a pouco a dar sinais de vida, teimava em viver...

— Contra a lógica aparente das coisas, acudia gracejar. Lembra-se do sonho que lhe contei? Como estava escrito no livro da velha, eu não merecera, em minha passagem pela terra, nem o Céu nem o Inferno. Era portanto inoportuno morrer em tais condições.

Minha mulher ria-se, imensamente reconhecida ao médico que lhe salvara o excelente esposo e enormemente feliz por me ver restituído ao seu afetuoso domínio. O doutor Candinho sorria com placidez, por trás dos óculos.

— Sim, prossegui, meu óbito fora temporão. Eu tinha de permanecer ainda no mundo, a fim de começar vida nova e determinar-me a tomar claramente o partido de Deus ou do Diabo. Neutro é que eu não poderia ficar.

Um sonho... que importância tem um sonho? Não tem nenhuma, pensa quase toda a gente. Pode ter muita, creem os psicanalistas. Afinal, que há mais importante que o sonho? Pois não vivemos todos a sonhar, dormindo ou acordados? Assim tenho vivido eu quarenta anos. O doutor Benfica já não me parece tão tolo como a princípio o julguei. Mas não preciso revelar-lhe o sonhozinho que tive, para que mo decifre. Eu mesmo o entendi, tão claro e explícito foi ele. Graças a esse pequenino episódio da minha vida imaginativa, o sentido da existência abriu-se em meu espírito como um jorro de luz. O que estava latente e permanecia obscuro tomou-se logo manifesto e transparente. Creio que ao despertar daquele sonho tinha eu uma alma nova e que esta, ao nascer para a vida, assassinara e enterrara a outra.

4. EU E RICARDINA.

Durante muitos anos fui fiel a Ricardina, não por virtude, ou deliberada obediência a uma rigorosa ética conjugal, mas por falta de tempo e ocasião para os devaneios extramaritais.

Recebi de meus pais, pessoas de condição modesta que seguiam a religião protestante, uma educação vigilante e austera. Minha infância não teve encantos, foi uma longa experiência de privações. A mocidade transcorreu-me laboriosa, quase sem alegrias, repartida entre o estudo e o trabalho. O amor não era o meu passatempo favorito. Não tive amantes duráveis nem paixões profundas. Homem de costumes tranquilos, sem ambições excessivas, era-me fácil enfrentar de bom ânimo as dificuldades da minha desvantajosa situação social. Temperado por natural bom senso, meu caráter não se envinagrou no orgulho dos impotentes ou revoltados.

Minha mulher é um modelo de perfeições: boa dona de casa, excelente mãe de família, esposa indefinidamente enamorada de seu marido. Tinha eu vinte e sete anos e ela dezenove, quando nos casamos. Caso típico de amor à primeira vista. Pertencente a uma respeitável família católica, toda muito piedosa, achava-se Ricardina em Uberaba internada num colégio de religiosas domínicas, em cuja congregação tencionava professar, quando a sua saúde um tanto delicada obrigou-a a passar uma temporada em Belo Horizonte na companhia dos seus. Vimo-nos, a primeira vez, num bonde. Ia ela em companhia dum irmão, que calhava de ser meu discípulo, e duma senhora vestida de negro, viúva, mãe de ambos, como logo vim a saber. Travei conversa com o rapaz, depois com a velha e enfim com a moça. A velha fez-me imediatamente um sem número de perguntas acerca da minha família, do meu emprego e das minhas aulas. Enquanto a mãe me interrogava, a moça olhava para mim e sorria, com o vago e enigmático sorriso das donzelas.

Gostei da pequena, que me pareceu bonita a mais não poder: delgada, quase alta, a pele muito branca e muito fina, um pouco pálida. Estava de luto, por morte do pai. O vestido negro realçava-lhe a macia alvura da tez, iluminada por uns olhos grandes, escuros, suavemente tristes. Os cabelos, muito negros, encaracolavam-se por baixo do chapelinho de feltro que os prendia pelo meio da cabeça. Agradavam-me os seus modos, discretos e compostos, sem falsos biocos. Durante o percurso do bonde, não lhe tirei de cima os olhos, namorei-a com um descaro de que eu mesmo me admirei.

Convidaram-me a descer, para uma visita e o cafezinho. Dona Milica, a velha (aliás não muito velha), fazia questão de travar conhecimento com o professor de seu filho. Não me fiz rogar muito. Aceitei o convite com satisfação.

A digna senhora recebeu-me com a mais cativante lhaneza no santuário de seu lar. Santuário era, na verdade, a casa de dona Milica. Mal transpus a ombreira da porta, vi à minha frente, perto da parede, uma grande imagem de Cristo, em gesso, com os braços abertos, acolhedores, como a dizer aos visitantes: “Vinde, a casa é vossa”. Por toda a sala, oleografias de santos, palmas bentas, orações emolduradas. A um canto, um oratório com a Senhora das Dores, alumiada por uma lâmpada votiva. Numa pequena mesa, números avulsos de revistas e jornais católicos: *Ave-Maria, O Mensageiro do Rosário, Luz da Aparecida, Boletim Salesiano, o Sino de São José*... Mais parecia uma capela que uma sala de visitas. Estou que cheirava a incenso e a círios queimados. Não me teria surpreendido se me houvessem dito que ali se realizavam funções religiosas diárias, presididas por dona Milica, que em verdade entendia tanto de liturgia católica como um cônego da Sé de Mariana.

Só faltava o harmônio. Mas havia um piano. Enquanto não serviam o café, Ricardina sentou-se ao Pleyel e tocou alguma coisa. Não tocava mal. De quando em quando, voltava-se para mim e interrogava cortesmente: "Gosta de Schumann? Gosta de Chopin? Gosta de Lizst?" Eu dizia que sim. Mostrava-me capaz de apreciar os bons autores. Não por afetação. Há realmente pessoas que gostam de música clássica e eu sou uma delas. Desde as mais simples melodias, de fácil acesso auditivo, às sonatas do imenso Beethoven, todas as músicas me agradam. Mas só então compreendi que para penetrarmos a inteira sublimidade da arte precisamos de estar sob a fascinação dum rosto de mulher. Tocado pelas mãozinhas brancas e lestas de Ricardina, o piano exercia sobre mim a sua mágica influência. A poeira dos sons não me entrava só pelos ouvidos, mas por todos os poros, invadindo-me os sentidos e excitando-me brandamente a imaginação. Todavia, o melhor daquela música estava na graça pessoal da executante.

A futura noivinha de Cristo cruzava seu olhar com o meu, sem mostrar intimidação. Palestrava urbanamente, com encantadora singeleza. Era manifesto que a minha pessoa não a encabulava, nem lhe desagradava. Eu sentia-me no Céu com os anjinhos.

Dona Milica tirou-me da bem-aventurança, chamando-me à realidade.

— Está-se vendo que o senhor gosta muito de música, me disse ela, olhando para mim obliquamente, sem coragem de me fitar de frente com os seus olhinhos indagadores, inquisitoriais. O senhor deve ser muito religioso, não?

Pressenti o perigo. Vestida de negro, como os sacerdotes da sua religião, magra, o rosto flácido, cor de cera, sereno à superfície, como o das monjas, dona Milica incutia-me com a sua presença um sentimento como de insegurança. "Esta velha está ardendo em desejos de me tomar uma lição de catecismo, vai interrogar-me já e já em doutrina", pensei, alarmado. "Se ela chega a saber que sou homem incrédulo, sem pisca de religião, nunca mais terei entrada nesta casa".

Respondi por circunlóquios, evitando dar às minhas palavras o caráter de opinião pessoal. Elidi com habilidade, no correr da conversa, todas as perguntas que envolviam a questão de confissão religiosa. Saí-me bem do apuro. Mas o perigo fora apenas diferido, ficara para outra ocasião.

Vi logo em dona Milica a minha inimiga número um, a sogra. A sogra, sim. Porque já me havia entrado na cabeça que eu seria seu genro. Ricardina era a esposa ideal dos meus sonhos de pequeno burguês: jovem e bela, de alma sã e nada vã, enamorada de seu marido e pia e devota como convém. Meu instinto marital não me enganava.

Dali a três meses estávamos casados. Dona Milica não me entregou a filha sem muito combater e relutar, ah! isso não. Indagou antes, precavidamente, dos meus antecedentes pessoais. As informações que obteve a meu respeito eram tranquilizadoras. Nada me desabonava. Na minha biografia, só encontrou um defeito, uma grave mácula, segundo o seu modo de pensar: eu era protestante, ou quando nada filho de protestantes. Podia ela consentir que sua casta donzelinha, já prometida a Jesus, fosse roubada por um herege? Não, mil vezes não; antes tê-la doente na solidão dum claustro; antes vê-la morta. Ricardina, porém, queria amar, viver no século, como seu coração ordenava. Era essa, dizia ela, a determinação de Deus, que lhe dera uma doença, para se afastar do claustro e encontrar-se comigo. Seria minha mulher e faria de mim um bom católico. Que culpa tinha eu do desvio religioso de meus pais?

Afinal, ante a obstinação da filha e graças ao meu espírito tolerante e concessivo, a velha acabou por ceder. Fez-se o casamento, a conselho do diretor espiritual de minha sogra e filhos, ao qual tive de procurar para que me conhecesse e formasse opinião a meu respeito. O padre, homem sensato, achou que eu era feito da melhor massa cristã, julgando-me capaz, por conseguinte, de me tornar com facilidade um bom católico prático, como eram todos os da família para cujo seio eu tencionava entrar.

Sou serenamente incrédulo. Perdi cedo a emoção religiosa. A fé, os dogmas, os preceitos católicos são-me indiferentes. Não tive, por isso, dificuldade em acompanhar minha noiva nas suas devoções. Casei-me na Igreja, como o faz quase toda a gente. Nada me custava ir à missa aos domingos, confessar-me a um padre uma vez cada ano, batizar e crismar meus filhos: cerimônias, todas, que considero sem importância, conveniências sociais que qualquer pode respeitar sem esforço.

Ricardina tem todas as boas qualidades da perfeita mulher doméstica, companheira do homem que labuta e pena e seu refrigério nas horas de repouso: é sensível, devotada, compreensiva. Bem que o reconheço. Estimo-a e respeito-a, por tudo. Mas as próprias perfeições acabam enfastiando um pouco. Tudo cansa, mesmo o querer bem. Tudo enfada, até o amor casto, a beleza fiel, conjugal e singela duma companheira querida. Há certamente em nós um princípio de corrupção que altera os mais puros sentimentos e nos torna inquietos e não satisfeitos. Mas acaso a própria inquietação não é preferível ao fastio?

5. EM CASA DA DURVALINA.

Restabelecido da saúde, deixei Duas Ilhas e voltei com a família para Belo Horizonte. Foi então que me descaminhei dos deveres conjugais e caí na vida airada. Atirei-me às conquistas fáceis, frequentei lupanares e casas de *rendez-vous*, como no meu tempo de solteiro. "*On revient toujours...*"

Que se há de fazer? O lar monógamo só a bem poucos satisfaz. Até mesmo os de carga sentimental e sexual menos considerável pedem para os seus impulsos amorosos o viático da fantasia, do capricho e da variedade.

Todo homem trai sua mulher, em pensamentos ou em obras, e aquele que nunca traiu, é um adúltero frustrado. Quem poderá contestar a verdade desta máxima, que se extrai da elementar experiência do casamento? Ninguém o contesta, e era isto mais ou menos o que me dizia, não há muito, o meu amigo e quase parente Cesário Louro, homem ainda moço, casado e, como eu, bom esposo e bom pai.

Cesário Louro apanhara-me em flagrante de adultério, numa casa suspeita da rua do Bonfim.

— Aí, "seu" pirata! Traindo a esposa, heim? gritou ele, quando me viu só, expandindo jovialmente a sua surpresa. Quem havia de dizer!... o morigerado, o pacato, o honrado Sezino de Sousa!

— Que há nisso de extraordinário? respondi. Sou como você e os outros... Gosto de mulheres, por que não? E na idade em que me acho — idade perigosa — todos os sensualismos se acentuam e apuram. Não há motivo para espanto.

Cesário Louro olhava para mim com as pálpebras semicerradas, como se os seus olhos custassem a reconhecer-me. Uma prega irônica vincava-lhe o canto esquerdo dos lábios. Passara muito tempo sem me ver e achava-se agora em presença de outro homem, diverso nas maneiras e no trajar. Como estivesse a mirar-me e remirar-me com atenção meio zombeteira, sem articular palavra, disse-lhe eu, de bom humor:

— Você está olhando para mim como se eu fosse um animal estranho... Estou um bocadinho diferente, não é isso mesmo? Estou sim, confesse... Vê-se logo que já não sou o pobre diabo que você conhecia, conformado com a insignificância da vida...

Observei-me um momento ao espelho, com íntima satisfação; dei um leve piparote à gola do jaquetão, como a sacudir um imaginário cisco; retifiquei o laço da fina gravata azul marinho com desenhos brancos, que muito bem com a minha camisa de seda azul celeste. As calças de flanela branca e o jaquetão azul escuro, de tecido leve, bem talhados, disfarçavam-me a relativa corpulência e faziam-me mais moço dez anos. Ofereci-lhe um charuto de boa marca.

— Como vê, estou todo liró.

— Está, sim, está puxadinho, concordou ele.

Eu continuei, em som de troça:

— Visto-me agora por um bom alfaiate, já não uso gravatas de dois mil réis, nem fumo cigarros de palha com tabaco macaia. Trato-me.

— Muito bem! muito bem! aprovava Cesário Louro, que continuava a examinar-me com visível curiosidade.

— Só agora, depois dos quarenta anos, é que fiquei sabendo como se dá um correto laço à gravata.

— Nunca é tarde para aprender.

— Nem para mudar de pele, como as serpentes, afirmei com toda a convicção. De pele e de alma.

E, aludindo a certa ideia que na ocasião me dava muitas voltas na cabeça:

— Você não acha que o homem, por sua natureza, pode mudar de hábitos ou modos de viver, em tempo relativamente curto?

O Cesário ficou vacilante, não sabendo como responder à pergunta por mim formulada, que em verdade trazia no bojo o velhíssimo problema do fado ou do destino. Os moços, como o Cesário, otimistas, confiantes em si próprios e no signo benéfico sob o qual se julgam nascidos, não se preocupam com semelhantes enigmas, que só se apresentam à meditação das pessoas maduras, já experimentadas pelas forças adversas contra as quais se malogram implacavelmente os ímpetos e entusiasmos humanos.

— Pois eu acho que sim, disse eu respondendo à própria pergunta. Ao homem é permitido mudar de hábitos, gostos, ideias, atividades, alimentação, paisagens, amigos, mulheres...

Discorri acerca da versátil natureza humana. Afirmei que o homem era, até certo ponto, o obreiro de sua própria sorte, o dono de seu destino: justamente o contrário do que se dava com os irracionais. Citei alguns exemplos ilustres: Mafoma, levando vida de mercador, isenta totalmente de inquietação espiritual, até os quarenta anos, idade em que a palavra de Deus lhe é revelada, e só então começa a agir como profeta duma crença nova; Agostinho, o filho de Santa Mônica, que já passava dos trinta anos quando, após a mais desordenada mocidade, resolveu servir a Cristo, abandonando o que tinha de mais caro no mundo: esposa, filhos de carne, riquezas, honrarias... Lembrei outros.

— Exceções, arriscou o Cesário.

— Exceções, sim, concordei. Em regra, o homem não muda depois de certa idade. E sabe você por que motivo? Por preguiça mental, unicamente.

A preguiça do espírito, disse-lhe eu em conclusão, é que nos levava ao automatismo da inteligência, à anquilose das ideias, à fixação da personalidade, à mecanização dos atos. Não estava eu ali como prova de que todo tempo é tempo para o homem se orientar por novos caminhos, ou assentar a vida mais em acordo com as suas reais inclinações?

Cesário Louro esboçou um movimento de cabeça, não sabendo o que dizer. Estava realmente impressionado, não propriamente com as minhas palavras, que em si pouco poderiam significar, mas com a evidente e convincente transformação dos meus modos e indumentos.

Pôs termo às minhas considerações, dizendo:

— Está tudo muito bem, mas... e a família? e dona Ricardina?

— A patroa, coitada! a patroa é que não está nada satisfeita... nada satisfeita. Teria preferido ver-me sempre lapuz, porém honrado. Quando ela souber que uso cuecas de seda, secretamente, vai ser um inferno!

— Cuecas de seda? Magnífico! Mas que imoral você me saiu! exclamou ele, divertindo-se com as minhas palavras.

— Deito-me tarde, levanto-me no pino do dia. Pertenço agora à boêmia dourada da cidade. Não discuto política, nem falo mal dos governos; ignoro essas misérias.

— E a repartição? e as aulas?

— Continuo em gozo de licença para tratar da saúde, que neste momento é ótima. Abandonei as aulas, já não tenho discípulos. Não quero saber dessa cambada. Ando farto de lidar com rapazes malcriados e turbulentos que nada querem aprender. Deve ser mais ameno domesticar onças.

— Magnífico! tornou a exclamar o Cesário, abraçando-me com efusão cordial. Estava positivamente encantado com a minha transformação. Eu era agora, pelo que ele via e ouvia, digno em tudo de sua consideração e estima.

— A vida corre-me com amenidade, acrescentei, e este seria realmente o melhor dos mundos, se eu não fosse casado. Sinto trair minha patroa, mas nada posso fazer.

E ele, fazendo igual confissão:

— O mesmo digo eu. Minha mulher, você sabe, é uma santa. O que por ela sinto não é só amor: é a mais profunda estima, é veneração. Coloco-a, com meus filhos, acima de tudo o que prezo neste mundo. Mas...

— Já sei o que vai dizer. A fidelidade é outra história... O homem é um animal polígamo, etc., etc... Não é isso?

— Exatamente. A fidelidade é uma grande virtude doméstica, quando a natureza ajuda. Não é o meu caso.

— Nem o meu, presentemente. Sou agora do amor. Dominei os meus impulsos o mais que pude, até há bem pouco. Agora, não; agora, o adultério entra nos planos de vida epicurista que a mim próprio tracei.

Cesário Louro desatou de novo a rir, aprovando as minhas palavras.

E dizer-se, pensei, que aquele grande frascário é apontado, por quantos o conhecem, como homem de costumes públicos e privados inatacáveis! Piedoso, crente militante, o bacharel Cesário Louro é um dos *leaders* mais ouvidos da União de Moços Católicos. O Arcebispo distingue-o com a sua amizade pessoal e fez questão que o seu nome fosse incluído na chapa do Partido Republicano Governista para as próximas eleições de deputados estaduais.

A mulher do Cesário, que vem a ser prima da minha em segundo ou terceiro grau, é uma senhora profundamente católica, de educação austera e hábitos muito devotos. Deposita nele a mais absoluta confiança. "É um marido perfeito", costuma dizer. E tem razão. É um marido perfeito, dentro da relatividade das perfeições maritais. Onde está o fiel Céladon que lhe possa atirar a primeira pedra?

A vida pública do Cesário Louro é impecável. Advogado inteligente e ativo, poucos haverá tão probos como ele. Ninguém tem dúvidas a este respeito. Quanto aos seus costumes privados, o caso é diferente, raros, raríssimos estão ao corrente das solapadas estroinices que pratica. Diante de uns poucos amigos, o "santo varão" despoja-se de toda hipocrisia, fica em trajos frasqueiros, mostra-se em cuecas. Aparece como realmente é: um grandíssimo lambão de mulheres.

Conheci-o não há muitos anos, em seu tempo de estudante, quando ele morava em uma pensão familiar, próxima de minha casa. Em frente da pensão havia um internato de instrução secundária para meninas. O Cesário acamaradou-se com uma regente do internato, moça de costumes folgados, que satisfazia o gosto a mais dum rapaz de suas relações. Pela calada da noite, a moça dava entrada ao Cesário no dormitório das alunas mais taludas, que estavam sob a sua guarda. Não satisfeita de se rebolcar no prazer, a sós com o intruso, a lasciva regente induziu outras companheiras a tomarem parte no agradável mas arriscado passatempo. Uma delas perdeu na brincadeira a grinalda de virgem. Tendo aviso do que se passava, o dono do internato pôde surpreender certa noite, no dormitório, o Cesário com a jovem desvirginada, em flagrante de ato carnal. Um escândalo de todos os diabos!.O homenzinho, indivíduo de ínfimo caráter e ébrio habitual, quis levar o fato ao conhecimento da polícia, imediatamente, como era de seu dever. Porém o rapaz suplicou-lhe que não fizesse escarcéu; prometeu, solenemente, reparar o mal; casaria com a vítima, sem bulha nem matinada. Diante disso, e para se evitar a completa desmoralização do pensionato, que não tinha lá muito boa fama, abafou-se o sucedido. E não houve casamento.

Começou mais ou menos por essa altura a carreira alcovista de Cesário Louro, que se tornou logo depois um passável Casanova, sempre na pista de alguma aventura amorosa. De estatura mediana e magro de corpo, embora rijo e saudável na aparência, com um princípio de calvície antes dos trinta anos, sobrancelhas bastas e negras, a barba cerrada repontando com força na face morena penosamente escanhoada, — nada no seu tipo desperta particular atenção. Mas as mulheres parece que simpatizam com ele, e é fato que se dobram com facilidade ao seu desejo. Claro que só cedem as de pouca ou nenhuma virtude, ou as de virtude morosa. Cesário Louro não faz milagres. Ninguém os faz. As mesmas conquistas do Cavaleiro de Seingalt, *magister artium eroticarum*, nem sempre eram da melhor qualidade.

— Não sabia que você era cliente de "siá" Durvalina, disse-lhe eu.

Estávamos na casa dessa alcaiota. Rameira aposentada, a Durvalina é uma mestiça amarela, enxuta, feiosa, de meia idade. A casinha em que mora é de aspecto pobre, acanhada, com uma só alcova para os clientes, como são em geral aqui as casas de alcovitice que a nossa polícia de costumes persegue com excessiva severidade.

O Cesário retificou:

— Dona Durvalina é que é minha cliente. Acho-me aqui como advogado, a serviço da profissão. Não é verdade, "siá" Durvalina?

A alcoviteira abanou a cabeça, confirmando as palavras do Cesário. Fez logo questão de dizer que lhe devia grandes favores e o estimava muito, por suas bondades.

A Durvalina não gosta que se diga que a sua casa é de alcovitaria. Jura por Deus e Nossa Senhora que vive sozinha no mundo, largada da sorte, e que se mantém a duras penas, lavando roupa e costurando noite e dia. Estende um dedo e aponta para a máquina Singer de cinco gavetas: "Está ali o meu sustento", proclama convictamente diante de quantos lhe frequentam a casa.

A máquina fora colocada naquele canto da saleta para tapar a boca dos vizinhos maldizentes e despistar a polícia. E também para o repouso da consciência de dona Durvalina, que com toda a sinceridade crê na própria honradez.

— A máquina é para testemunhar uma vida laboriosa, disse-me o Cesário, enquanto a dona da casa espreitava a rua pela janela.

— Testemunho falso, disse eu.

— Em todo o caso, tornou o amigo, não deixa de ser uma reverência ao trabalho honrado.

A casa é frequentada regularmente por umas poucas raparigas que exercem o meretrício fora dos lupanares. Uma das tais raparigas desejou relacionar-se com o Cesário. "Siá" Durvalina fê-lo ciente do desejo da tal, mas advertiu-o: "É uma mulher perigosa. Costuma fazer reza forte nas costas dos homens que cobiça". Reza forte, entende-se, para os atrair e prender. O Cesário tranquilizou-a dizendo que nada receava por esse lado. Trazia sempre consigo um amuleto, um pequeno relicário que tinha numa das faces a imagem de Nossa Senhora dos Aflitos e na outra um crucifixo de marfim, presente que lhe fizera a esposa no dia do seu casamento. "Com isto", disse, mostrando o amuleto à rufiã, com isto, não há reza forte que me vença, Estou bem defendido".

O relógio da parede dava as três horas. A Durvalina parecia desassossegada; a todo instante, corria à janela e espiava a rua; logo, trocava olhares de entendimento com o Cesário, como a dizer-lhe: "Nada".

Esperavam alguém. Despedi-me:

— Fica?

— Fico.

6. A BELA CORÁLIA.

Aquela tarde, contou-me depois o Cesário Louro, esperavam a bela Corália, mulher do advogado Mansueto Barroso. Devia omitir-se aqui, por caridade cristã, o nome do coitadinho, cuja infelicidade é merecedora de todo o respeito. Mas não há motivo para tal omissão, uma vez que estas páginas não se destinam a publicidade, e trata-se, além disso, do cornífero mais notório da cidade.

O Cesário referiu-me em que circunstâncias tivera ocasião de a conhecer e desejar. Um primo seu, também bacharel, e moço solteiro, tinha no bairro da Serra a sua *garçonnière*, instalada num agradável chalé semi-oculto entre palmeiras, ciprestes e bougainvíleas. O Cesário pedira-lhe emprestada a chave do chalé, pois desejava encontrar-se lá com uma senhora casada que se mostrava receosa de ir vê-lo em seu escritório. Tendo-lhe o primo telefonado que fosse buscar a chave, Cesário tomara imediatamente o seu automóvel e dirigira-se para a Serra. Ao chegar junto do portão da *garçonnière*, tocara a buzina do auto, chamando. O primo chegara à janela e, reconhecendo o Cesário, gritara lá de cima: "Vá entrando, vá entrando".

Recebera-o na saleta de espera e introduzira-o a seguir no quarto, dizendo: "Vamos cá para dentro. Tenho companhia... Conversaremos um bocado".

Ao transpor a porta, o Cesário vira estendida num divã, completamente despida, sem nada na pele, nem ao menos um corpinho, a mulher do Mansueto Barroso. Ela não fizera um movimento de pudor ao vê-lo entrar com o amante. Com toda a naturalidade deste mundo estendera-lhe a mão: "Como vai, doutor Cesário?" O primo sorrira, meio admirado: "Então já se conhecem?" Ela explicara que o conhecia, sim, conhecia-o de nome e de vista; lembrava-se de o ter namorado, não sabia bem onde... "Foi numa igreja, ou num cinema?" perguntara a rir, muito fresca e muito alegre. "Nos dois lugares: numa igreja e num cinema", respondera o Cesário, radiante, também a rir. O primo sorria, parecendo habituado àquelas cenas de amável camaradagem.

Corália continuava em pelota, sem se vexar, movendo-se à vontade pelo quarto e tomando parte na conversa. Que era aquela *garçonnière*? Uma colônia de nudistas? Não, pois que o primo vestia, no momento, pijama e *robe de chambre*. Solário também não: o quarto estava mergulhado em agradável meia-luz, com as cortinas das janelas corridas. Fosse lá o que fosse, o Cesário caíra em êxtase, não se fartando de contemplar, baboso, aquela esplêndida mulher nua, muito grande, muito branca, muito bem construída em todas as suas partes.

— Nunca vi tanto cinismo, disse ele, acabando de me contar o caso.

Mas desejou-a e andou atrás dela alguns dias, sem ter ocasião de chegar à fala. Soube então que a jovem senhora estivera certa vez em casa da Durvalina, na companhia dum rapaz. Soubera-o da própria alcoviteira, que não era nada discreta.

— Arranje-a também para mim, pediu ele.

A Durvalina ficou sarapantada, a bater nervosamente as pálpebras balofas e lívidas. Fitava o Cesário, com expressão aflitiva, como se lhe houvessem pedido o cometimento dum sacrilégio. Por fim exclamou, com a voz algo embargada pela timidez:

Oh! doutor Cesário... Peça tudo, menos isso. Para ser agradável ao senhor, eu sou capaz de andar de rastros como uma cobra... Mas isso que deseja... oh! doutor Cesário... a mulher dum advogado! Se fosse uma qualquer...

— E que tem isso? retrucou o Cesário, insistente. Eu não sou também advogado? Entre pessoas da mesma classe não há cerimônias. Vamos, não abane as orelhas...

A mulher permaneceu algum tempo sem dizer palavra, pensativa, a passar as mãos pelo rosto cor de jenipapo, manchado de cloasmas.

Para lhe vencer a indecisão, o Cesário puxou a carteira e retirou dela uma nota de cem mil réis, novinha em folha:

— Não faça o corpo mole, "siá" Durvalina, disse ele.

E logo, acenando com o dinheiro:

— Se você nos facilitar um encontro, ganha esta pelega estraladeira.

Industriou-a. A medianeira deveria procurar a esposa do Mansueto Barroso e, no correr da conversa, aludiria à pessoa do Cesário de quem faria as melhores ausências. Diria que o considerava um moço bom, digno e prestativo, a quem ela Durvalina devia muitos favores. Declararia, por fim, que o jovem advogado lhe confessara nutrir grande simpatia e admiração por ela, Corália, mostrando-se desejoso de a conhecer.

Durvalina hesitava, matutava. Por um lado nada podia recusar àquele bom cliente e amigo. Por outro, tinha acanhamento de falar à moça, não sabendo como orientar-se em tão delicado assunto. Nunca a alcovitara, embora ela lhe houvesse frequentado a casa, duas ou três vezes, para encontros amorosos.

— Faça-lhe uma visita, sugeriu o Cesário, e leve-lhe o meu cartão. Marque uma entrevista amanhã, aqui em sua casa, com hora combinada.

Vencida afinal, Durvalina prometeu arranjar a coisa. Não era esse, ao cabo de contas, o seu meio de vida? Para que tudo corresse a contento, prometeu dois metros de fita roxa, da melhor seda, a Nossa Senhora da Piedade. Tomou coragem e apresentou-se em casa de dona Corália, à pretexto de se inculcar como empregada. A mulher do advogado recebeu-a com benevolência. Conversaram, conversaram. Diante porém daquela formosa senhora, que lhe parecia tão distinta — uma rainha, no porte e nos modos, — Durvalina sentiu-se intimidada. Apesar da sem razão de tais escrúpulos, faltou-lhe a coragem de tocar no verdadeiro motivo da sua presença ali. Despediu-se pouco depois, esmorecida.

O Cesário Louro insistiu. Não fosse tímida; não havia razão para tal; a sedução de dona Corália era fácil, ora essa! E exclamou:

— Uma mulher que já foi amante dum primo meu! Uma mulher que eu já vi nua em pelo... em pelo!

Durvalina contraveio:

— É... mas vestida não é a mesma coisa. A roupa impõe mais respeito.

Sabia porém que não devia fazer-se muito de rogada. Tornou pois à casa da moça, disposta a falar-lhe sem rebuços. A certa altura da conversa, achou jeito de se referir ao Cesário, com os mais rasgados elogios. Mostrou o cartão que o rapaz lhe dera. Dona Corália disse que o conhecia muito, confessando que o achava bastante simpático, bonito até. "Se é!" exclamara a Durvalina inflada de contentamento. "As mulheres ficam doidas por causa dele. É um moço de ouro, bonzinho, carinhoso... pessoa de muito propósito".

Ganhando ânimo, acrescentara: "O doutor Cesário me falou que ficou de aparecer lá em casa amanhã, às três horas. Se a senhora quiser... vai gostar dele..."

Isso ouvindo, dona Corália ergueu-se da cadeira num pulo e dirigiu-se a uma das janelas que davam para a rua. A Durvalina ficou aterrorizada. Dona Corália, pensou a alcoviteira, num relâmpago, ficara com certeza ofendida com a insinuação e chegara à janela para chamar o guarda-civil e entregá-la à prisão.

"Valei-me nesta hora difícil, meu bom Jesus!" implorou mentalmente, aflitíssima, encolhendo-se de medo na cadeira e apertando com ambas as mãos o coração, que lhe batia descompassadamente no peito.

Assustara-se à tôa, à tôa. A jovem senhora fora apenas certificar-se de que o marido não vinha perto. Sentou-se outra vez e, risonha, tranquila, prometeu com simplicidade que iria conhecer o doutor Cesário, às três horas, em casa da Durvalina, como esta desejava.

A lena esperou-a no dia seguinte. Não fez a cama, de propósito, porque lhe parecia de mau agouro adiantar-se aos acontecimentos. Acendeu uma vela de cera e colocou-a no chão da alcova reservada aos clientes. A vela era para a santinha de sua devoção, a Senhora da Piedade.

Corália não faltou com a palavra. Apareceu à hora aprazada. Durvalino estava contentíssima. Com que facilidade ganhara os cem mil réis! A boa santinha correra em sua ajuda. Não há como a fé. Retirou a vela e só então fez a cama.

Pouco depois, o Cesário Louro pôde conhecer a seu gosto a cobiçada mulher do Mansueto Barroso.

Passadas algumas semanas, já estava farto.

— As mulheres agarram-se à gente como ostras ao rochedo, disse-me ele.

— Arranjar uma amante é fácil; o difícil é largá-la.

— Difícil para qualquer outro, menos para mim que sou prudente e sei como se evitam as ligações perigosas.

Durvalina estima de mais o Cesário, porém queixou-se, em minha presença, de que o rapaz não procedera bem com sua amiguinha. O caso é que, tendo-se encontrado algumas vezes com a bela Corália em casa da alcoviteira, e quando a moça já andava, ao que parecia, apaixonada por ele, o Cesário abandonara-a sem qualquer explicação. Prometeu, até, uma boa gratificação à alcoveta para que a pusesse nos braços de outro homem.

— Eu era incapaz de tal coisa, disse-me a Durvalina em confidência. Sou uma mulher pobre mas honrada, e dona Corália é uma moça muito decente.

E repetia, sincera:

— Muito decente! Muito decente!

Chorou as suas misérias. Falou dos perigos e sobressaltos a que se achava exposta por facilitar em sua casa alguns encontros de pessoas emancipadas, responsáveis, que nada tinham que perder. Queixou-se da maldade dos vizinhos que a denunciavam à polícia sob a acusação de ofensas à moral pública. Lembrou o que acontecera a uma sua conhecida, dona duma casa de *rendez-vous* naquela mesma rua: metida no xadrez pelos agentes do delegado de costumes, a infeliz fora espancada cruelmente, até que a largaram moribunda, a pedir confissão.

Só Deus sabia como andava precisada de dinheiro, acrescentou, dirigindo a conversa para esse lado. O aluguel da casa ainda estava por pagar, aquele mês. Mas recusara, com dignidade, os duzentos mil réis que lhe oferecera o doutor Cesário para que o livrasse da moça.

— Não acha que fiz bem? perguntou-me.

— Claro que fez, respondi. Mas não se apoquente. Você terá o dinheiro do aluguel quando a Corália for minha.

Animaram-se os olhos parados da Durvalina, olhos úmidos e globulosos de ruminante. Desatou a rir, subitamente alegre e já esquecida de suas tribulações. Fariscara logo o bom arranjo: aceitaria o meu dinheiro e não recusaria o do Cesário. A face mongoloide da cabocla iluminara-se de contentamento. Chamou-me "safadinho", injuriou-me carinhosamente e disse que faria por mim o que estivesse ao seu alcance. Gabou-me o gosto. Elogiou a Corália: uma perfeição de mulher, vista por diante ou por detrás. Ah! que se não fossem do mesmo sexo... Razão tinham os homens de a cobiçar.

— E o coitado do marido? indaguei, a brincar. — Ora, o marido, também não se pode queixar. Já teve o melhor, e ainda tem. O senhor não acha que uma mulher daquelas não foi feita só para um homem?

7. GLÓRIA AO MANSUETO!

Mulher esplêndida, a Corália: grande, alta, sólida, maravilhosamente bem feita; cabelos castanhos, olhos escuros, grandes, lindíssimos; a pele alva, lisa, igual, sem uma nódoa ou um sinal em todo o corpo.

Mas, por que será que a beleza perfeita, embora deslumbre, nem sempre excita fortemente os sentidos? A beleza de Corália é assim: a admiração que provoca parece esgotar-se na pura contemplação estética. Falta-lhe aquela chama feminil que acende a paixão no coração do homem. Dócil, generosa, fácil, gostando de se dar e dando-se com simplicidade, Corália encontra no amor físico uma distração agradável, e só isso. Não é de crer que se tenha apaixonado por alguém, nem que alguém tenha ardido de paixão por ela.

Saciei-me logo de seus abraços, como logo se saciara o Cesário, como se haviam saciado logo os que a conheceram antes de nós.

Para dizer toda a verdade, a Corália é que me abandonou, após alguns felizes encontros. Fez comigo o que o Cesário fizera com ela. Mas não me enfadei. Pelo contrário. A última vez que estivemos juntos em casa da Durvalina custou-me um susto que me tirou toda a vontade de a tornar a ver. Ela saíra alguns minutos adiante de mim e fora esperar o bonde um quarteirão abaixo. Esperava eu outro bonde que me levasse ao centro da cidade, quando desceu a rua, guiando o seu automóvel, o Mansueto Barroso. Brecou o carro ao pé de mim e convidou-me a seguir com ele. Fiquei varado. O Mansueto, pensei, amedrontado como um coelho, o Mansueto estivera, decerto, a espreitar-nos; vira-nos sair da casa suspeita, primeiro a mulher e eu logo depois; provavelmente, vira-nos também entrar, eu antes e a mulher passados alguns momentos. Figurei, instantaneamente, o drama terrível do marido ultrajado na sua honra. Era eu a vítima escolhida pelo destino para expiar todas as traições cometidas por uma esposa leviana. E vítima de quem, Deus do céu? Vítima dum cabrão tranquilo, padrão exemplar de cornudagem ciente e paciente! Lembrei-me de vários casos de maridos como aquele, tolerantes ou confiados, e que de repente, quando menos se esperava, recorriam ao homicídio para lavarem uma afronta. Que falta de sorte, a minha! Azar de cão!

— Apanhei-o com a boca na botija, heim!? exclamou ele pondo o carro em movimento. Todas as patifarias se descobrem, "seu" Sezino!

— Vim ver um amigo, gaguejei.

— Um amigo? Conte essa história a outro.

Acelerou a marcha e lá fomos em disparada, rua do Bonfim abaixo. Ao desembocar na praça da Lagoinha, em vez de rumar à direita, meteu o carro pela esquerda. "Vai levar-me a um lugar ermo", pensei, "para me assassinar, como está no seu direito".

— Não vai pela ponte? indaguei, crispado de inquietação.

— Trânsito impedido. obras do calçamento.

Era verdade. Mas nem por isso fiquei menos apreensivo; ao contrário, os meus receios aumentaram quando vi o meu captor entrar com o carro pela rua Itapecerica. Agora, eu tinha quase a certeza de que seria assassinado na estrada de Venda Nova ou no caminho do Matadouro.

— Tenha paciência, me disse ele. Preciso deixar uns autos em casa dum colega. Não me demoro. Você agora me pertence... temos muito que conversar...

Podia ser verdade, podia ser mentira. Mas não, não mentia: parou o carro em frente duma casa de moradia, retirou papéis de sua pasta, desceu rápido e embarafustou por uma porta aberta.

Eu continuava com a pulga no ouvido, a ruminar uma explicação engenhosa, pronto a convencê-lo com boas razões, se ele me desse tempo. Pensei em fugir, covardemente; porém a comoção relaxara-me os nervos, amolecera-me, deixando-me indefeso como uma criança de peito. Fugir como? Passados brevíssimos instantes, estava o Mansueto Barroso outra vez a meu lado. Voltou o carro, falou de coisas sem importância. Suspirei, algo aliviado do grande medo.

Já no centro da cidade, o Mansueto estacionou o automóvel diante dum café.

— Vamos tomar ali alguma coisa fresca, me disse ele enxugando com o lenço as camarinhas de suor que lhe banhavam a fronte.

E acrescentou:

— Está um calor de derreter os chifres. Agora estou livre e poderemos conversar à vontade.

Meus temores iam-se dissipando ante a serenidade do companheiro, embora eu notasse ainda uma sombra de suspicácia na ruga que lhe vincava a testa e certa ambiguidade no sentido de suas palavras.

— Com que então, tornou ele, a gracejar, com que então o caro Sezino foi ver um amigo na rua do Bonfim? Não pense que me engana. Aquela rua não tem boa fama... Não o sei por mim... ouço dizer. Minha senhora afiançou-me que é uma rua muito falada...

Sabia-o pela mulher; a informação era de boa fonte, não havia dúvida. Aspirei o ar com força, enchendo os pulmões e expeli-o depois com o resto de comoção que me ficara nas entranhas. Fitei os olhos na figura do Mansueto, que se refletia, benigna e confiada, no espelho que tínhamos ao lado. Eu tremera de medo como um pateta! E por causa daquele pateta!

Olhando-me bem nos olhos, me disse ele a sorrir, como se estivesse inteirado de tudo:

— Não negue. Sou capaz de jurar que o vi saindo da casa da Blanchette. De lá mesmo, sim. Não me venha agora dizer que nem ao menos a conhece...

Referia-se a uma dama francesa muito simpática e atraente, embora já um tanto *faisandée*, que morava pertinho da casa da Durvalina, um bonito bangalô. Blanchette, *chanteuse gommeuse* em disponibilidade, vivia a expensas dum rico marchante que a provia de tudo e ainda lhe deixava horas folgadas nas quais podia receber outros amigos de bolsa mais ou menos abastecida. O Mansueto confessou-me que gostava daquele tipo de francesas, meio maduras, enxutas de carnes, experientes do amor e cujo *savoir faire* é universalmente apreciado. Tinha grande desejo de a conhecer, mas não tivera ainda ocasião de a visitar.

— A falar verdade, não tenho jeito para essas coisas, declarou, com uma sombra de pesar na voz.

E suspirando:

— Vocês é que sabem levar a vida. Às vezes, penso também em enganar a minha senhora. Mas falta-me a coragem. Respeito-a tanto... Além disso, ela é muito ciumenta, severa, vigilante...

"E esta!", disse de mim para mim. "Os maridos não deviam falar de suas mulheres diante de pessoas que as conhecem melhor que eles".

Fiquei, a princípio, um tanto despeitado comigo mesmo e com aquele ridículo marido cuco que me pregara involuntariamente tamanho susto. Quase lhe grito, por vingança, toda a verdade. Veio-me um ímpeto insensato de lhe contar tudo, com uma ironia perversa que o faria rir, gargalhar e depois arrebentar em soluços, como o palhaço traído. Mas não lhe disse nada. Seria cruel, inumano, além de perigoso. A verdade é tônica para uns e tóxica para outros, e nunca se sabe que dose de verdade um homem pode suportar.

Tive dó do coitado. Quis-lhe bem naquele instante. Senti ganas de o abraçar.

Improvisei uma mentirola:

— Você está enganado, Mansueto. Não venho da casa da Blanchette. Fui ver um amigo, o Costinha... Você conhece? O calista do Presidente. É sócio dum clube de jogo, que eu às vezes frequento.

— Você, jogador?

— É como lhe digo. Desencaminhei-me. Eu ignorava, até há pouco, as minhas aptidões para a batota. Mas nunca é tarde para se revelarem as verdadeiras inclinações duma pessoa. Tornei-me um mestre no pôker. Mas também jogamos lá a campista e o bacará. Jogo forte. Estes jogos, você sabe, são proibidos; só o pôker é permitido. Graças porém à influência do Costinha, calista e compadre do Presidente, a Polícia faz vista grossa ao que se passa na espelunca. Se você aprecia a batota...

— Só gosto do pôker e do cunca. Mas jogo unicamente em lugares que a minha senhora frequenta.

Quando falava da mulher, o Mansueto dizia invariavelmente minha senhora, como a marcar o respeito que lhe tributava e a superioridade que tacitamente nela reconhecia. Sempre achei certo ar de afetação e ingênua reverência nesta forma de tratamento, que é a geralmente empregada pelos maridos que em nossa terra presumem de bem educados. Na boca do Mansueto, aquilo de *minha senhora* para cá, *minha senhora* para lá, parecia-me cômico, francamente cômico.

— As melhores rodas de pôker, como você não ignora, são as do Automóvel-Club. Infelizmente...

Aqui o Mansueto hesitou um instante, não sabendo se devia ou não abrir-se comigo. Por fim, desabafou, confidencialmente:

— Você me conhece bem... Conhece os meus... Diga: que há contra mim ou contra minha família que nos desabone perante a boa sociedade? Que há no nosso procedimento que nos diminua ou desdoure? Nada, não é verdade? Pois bem, não compreendo certas prevenções... Já por três vezes tentei entrar para o quadro de sócios do Automóvel-Club, e de todas as três fui recusado. Por quê? Acaso é aquela corja melhor do que eu e a minha família?

Contive a custo o meu assombro. "Ignora tudo" disse comigo, não acabando de crer no que ouvia. "Quem havia de dizer? Não conhece a mulher, não conhece as cunhadas; vive alheio ao que se passa dentro do próprio lar. A Corália coleciona homens — adolescentes, jovens esportivos, varões maduros, velhos verdes — como se colecionam selos; é uma filatelista do amor. Inclinação de famflia. Uma de suas irmãs, a mais velha, casada numa cidade do interior, largou o marido, ou foi abandonada por ele, depois de ter levantado a perna por cima de todas as decências. Outra irmã, a mais moça, ainda solteira, é uma libertina precoce: concede tudo aos seus chichisbéus, exceto a coroa de virgem, prenda única, depreciada mas intacta, que ela reserva para o tolo que a queira desposar. O Mansueto, fábula da cidade, ignora tudo, ignora o que toda a gente anda farta de saber. Feliz ignorância!"

O marido da Corália continuava a falar, amargurado:

— Temos alguns desafetos, alguns inimigos gratuitos, como toda a gente os tem. Recebo cartas anônimas, aleivosas... telefonadas injuriosas, trotes insultantes... Ah, o telefone! que instrumento celerado nas mãos de certas pessoas perversas!

— Ninguém se livra dessas vilanias, disse eu, para consolá-lo. São perfídias de miseráveis, calúnias de pessoas maldosas. Não devemos dar importância a essas coisas.

— Claro que não. Mas aperreiam, amofinaram, acabam envinagrando o sangue das pessoas mais pacientes. Irra! que não se pode viver numa terra como esta! Canalhas!

Despedi-me do Mansueto e saí meditando nas suas palavras. A vida em comum é uma perpétua burla, um contínuo embuste. É espantosa a nossa ignorância a respeito do verdadeiro caráter das pessoas de nossas mais íntimas relações. No que toca aos membros duma mesma família, essa ignorância recíproca excede os limites do verossímil. Os pais não conhecem o verdadeiro caráter dos filhos; os filhos fazem uma ideia completamente errônea dos pais; os irmãos vivem a vida inteira sem se compreenderem, como estranhos uns aos outros, quando não como inimigos; os maridos equivocam-se acerca das esposas; as esposas atravessam o matrimônio completamente fechadas ao conhecimento de seus maridos; as amizades alimentam-se de mútuas ilusões e de recíprocos enganos. Maravilhosa ignorância. Desde que há casamento no mundo, creio que nenhum homem chegou jamais a conhecer a sua esposa. Só assim se poderá explicar que tantas mulheres notoriamente adúlteras passem como virtuosas aos olhos de seus maridos, ainda os mais desconfiados. Diz o povo que o marido é o último a saber. Sim, quando chega a saber, o que raro acontece.

Cesário Louro deu-me os parabéns quando eu lhe disse que a mulher do Mansueto já não me queria ver.

— Mulheres assim não complicam a vida da gente, falou-me ele. São as mulheres que nos convêm. Mulher admirável, a Corália! Não adere, não faz cenas, não chora, não pede dinheiro...

Concordei:

— Mulher admirável! O amor é para ela um ato tão natural quanto o comer e o beber; e tão amiudado, ou mais, que o comer e o beber. Ama com singeleza, sem ingredientes idílicos ou dramáticos. Nunca se compromete. Muda de amantes tão depressa, que não dá tempo ao marido de chegar a conhecer algum.

— Você acha então que ele não sabe?

— Acho, não; tenho a certeza.

— Não é possível.

— Possibilíssimo.

Contei-lhe o que se passara no meu colóquio com o marido da Corália.

O Cesário moveu a cabeça, meio incrédulo, meio convencido. A falta de perspicácia do Mansueto, sua incapacidade de adivinhar o que estava entrando pelos olhos, parecia-lhe algo imprevisto e estranho.

— É um bem-aventurado, disse ele em remate.

— Será, retorqui. Será. Como tantos outros. Bem-aventurança, em todos os casos, sumamente útil à instituição do matrimônio indissolúvel. Sem a legião dos bem-aventurados, que seria da paz dos lares e da ficção da fidelidade conjugal?

— Glória ao Mansueto!

— Não convém exagerar. Como ele, há por este vasto mundo centenas de milhares, milhões de Menelaus. A cornudagem é velha como a Sociedade, arcaica como a Família. Nem ignóbil, nem sublime: é uma tradição respeitável por sua ancianidade.

8. UMA ITALIANINHA PARA TRÊS.

Havia já algum tempo que não aparecíamos em casa da Durvalina, quando ela nos enviou recado para que a fôssemos ver. Reservava-nos uma boa surpresa, segundo nos mandara dizer. E lá fomos os dois, eu e o Cesário.

A Durvalina tinha uma nova camaradinha, que desejava apresentar-nos: uma pequena duns dezoito anos, bonitinha, redonda, bem modelada.

— É a Gioconda, uma menina muito direitinha, disse a rufiã, cingindo-a pela cintura com familiaridade.

Filha duma senhora de suas relações, explicou; fora ter ali, às ocultas da mãe, especialmente para nos conhecer.

Acariciou-lhe as faces rosadas, tingidas de rubor natural:

— Vejam, não é pintura. Ela inda está muito acanhada, coitadinha.

Chamou a nossa atenção para as prendas anatômicas da adolescente. Moveu-lhe os braços nus, apalpou-lhe os seios pequenos e firmes:

— Olhem só para isto... ponham a mão aqui... agora, aqui, e aqui. . .

Abriu-lhe a boca:

— Que dentes, heim?

A pequena sorria, um pouco vexada, mas deixava-se examinar docilmente pela mulher e por nós. Durvalina deu-lhe duas beijocas estraladas no rosto.

— E ainda cresce, disse por fim. Não é mesmo da pontinha?

Concordamos que era realmente da ponta fina. Donde a teria desanichado a alcoviteira? Logo o soubemos.

Durvalina é quiromante nas suas horas perdidas, e gaba-se de deitar cartas muito bem. Um dia, foi procurá-la uma senhora italiana da vizinhança, que desejava saber com toda a certeza, através das cartas, se uma filha sua, menor, solteira, ainda conservava a flor da virgindade. Ao que se boquejava — e os rumores haviam chegado aos seus ouvidos de mãe — o namorado da moça, um sargento do Exército, tinha abusado da sua pureza. Apertada, a filha confessara que o rapaz lhe dera a cheirar, certo dia, uma coisa forte... Depois, perdendo os sentidos, não soubera mais o que havia acontecido. Tudo se passara num lugar chamado a Cabana de Antônio e Maria, fora da cidade, aonde os dois haviam ido passear.

Durvalina informou à consulente que a tal Cabana era um lugar mal afamado, um antro de perdição, só procurado por gentes da farra que iam lá para beber, comer e folgar em toda a liberdade. Quanto às cartas, elas não saberiam dizer de modo positivo como as coisas se haviam passado. Só o médico. “Mas as cartas”, explicou a cartomante à apreensiva mãe, “as cartas podem dizer se houve acontecimentos felizes ou infelizes. Se elas disserem que aconteceu alguma infelicidade na sua família, a senhora ficará logo sabendo que fizeram mal à moça. Se não, não”.

As cartas não foram consultadas, por causa das dúvidas. Nem o médico, pelo motivo contrário.

Consultas estas que logo se consideraram desnecessárias, uma vez que o namorado da Gioconda (fora ela a vítima do *cheiro forte*) se escapulira aqueles mesmos dias para outra guarnição, e a pequena, apertada pela mãe, acabara confessando a sua desdita.

Aconselhada pela proxeneta, Gioconda prontificou-se a ser boazinha conosco. Precisava de sapatos, vestidos e meias de seda, queria passeios de automóvel, dinheiro para o cinema. Concluiu-se, neste sentido, um amável negócio entre as pessoas interessadas: eu, o Cesário e a pequena. Gioconda foi minha às terças e sextas-feiras e do meu amigo às quartas e sábados.

Tudo corria bem, à inteira satisfação das partes contratantes e de "siá" Durvalina, até que vimos a saber que um elemento de dolo e má fé se introduzira no negócio honestamente combinado. Às segundas, quintas e domingos, e provavelmente nos mais dias, em horas vagas, a Gioconda entregava-se a um tenente comissionado do Exército, amigo e antigo companheiro de corpo do sargento sedutor e fujão. O Cesário rompeu logo a comandita; indignado com a traição e receoso dos perigos da promiscuidade. Eu ainda continuei algum tempo a calçar e a vestir a italianinha velhaca. Porém o tenente, quando a viu com o guarda-roupa bem abastecido, arrebatou-ma e amasiou-se com ela. As belas amam as garbosas fardas, deixam-se vencer docemente pelos guapos e bravos militares que em amor adotam a tática napoleônica de assalto e ruptura.

Não me arreliei com o perjúrio da italianinha. Para que? Vai-se uma Eva pérfida, arranjam-se dez outras que as substituem e parodiam agradavelmente o amor, com os mesmos ritos postiços, as mesmas palavras mentirosas, os mesmos voluptuosos embustes.

Meu rabicho com a Gioconda durara três meses. Andar tanto tempo com uma só mulher parecia-me rematada estupidez. A vida é tão curta, há tantas mulheres no mundo e eu começara tão tarde a minha carreira de femeeiro !

9. TOPEI COM A MULHER FATAL.

"Comecei tarde e preciso aproveitar o tempo, antes que a velhice me cerre uma porta que jamais se reabrirá". Eram estas as palavras que, todos os dias, dirigia a mim próprio, como uma jaculatória.

Sim, eu estava bem resolvido a dar largas aos meus instintos e fantasias de homem quarentão; mas o Diabo parece que se apostou em contrariar os meus planos de vida solta e descuidada. Encontrei a mulher fatal, a réplica feminina de Don Juan, a glutona de machos, diante da qual tomba, sucumbe e se evapora a virtude varonil.

Chama-se Isabel (Belinha, na intimidade) a mulher que me deu volta ao juízo. Jovem? Linda? Nada disso. Trinta e cinco anos, dezesseis de casada, mãe de quatro filhos; estatura um pouco abaixo da mediana, raros encantos visíveis, mas agradável e apetecível, após um minuto de conversação.

Belinha é professora num dos grupos escolares da cidade. Conheço pessoalmente quase todas as professoras públicas de Belo Horizonte, em razão do cargo que ocupo na "Seção Técnica do Ensino Público Primário". Tive ocasião de ser útil a Belinha quando ela se transferiu duma escola do interior para outra da Capital. Meus companheiros de trabalho badalavam coisas escabrosas acerca da sua reputação. Um deles gabava-se de lhe ter merecido favores muito especiais. Eu, porém, negava os ouvidos a tais mexericos, tanto mais quanto não era aquela a única professora alvejada pelos venenosos comentários dos meus colegas de repartição. Além disso, sempre me portei com a máxima correção no tratar com as dignas serventuárias do ensino primário. Não poucas vezes fui tentado por professoras bonitas, que com um sorriso prometedor, um caloroso aperto de mão ou uma palavra maliciosamente ambígua, buscavam ganhar a minha simpatia, a efeito de obterem o bom andamento de qualquer papel ou a feliz solução de algum pedido. Nunca dei maior importância a tais manobras, pelo geral inocentes, de que se valem as mulheres bonitas para conseguirem com facilidade aquilo que desejam. As feias chegam aos mesmos resultados por meio da importunação. Com umas e com outras, procedi sempre como perfeito cavalheiro e correto funcionário.

Eu era assim. Já não o sou mais. Quero dizer que, se uma mulher agora me sorri de certa maneira, logo me disponho a avaliar o rendimento provável desse sorriso e suas consequências últimas.

Não há muitos meses, encontrei a Belinha perto do Edifício dos Correios à espera dum bonde que a levasse ao bairro do Cruzeiro, onde reside. Aproximei-me para a cumprimentar e ficamos ali de palestra longo espaço de tempo. Belinha agradeceu-me cordialmente, mais uma vez, os pequenos serviços que eu lhe prestara na repartição em que trabalho. Os bondes "Cruzeiro" chegavam e partiam, mas ainda era cedo para o jantar e a professora não tinha pressa de ir para casa. O marido que esperasse.

Convidei-a então a tomar um refresco ou um aperitivo, convite que ela aceitou sem relutância.

Entramos no bar mais próximo. Belinha achou que devia explicar-me por que aceitara com tanta facilidade o meu convite:

— Uma senhora mineira que se preze não fará o que estou fazendo, me disse ela. Uma senhora casada, recatada, não se sentará num lugar como este, a sós com um homem que não seja o seu marido ou algum parente muito chegado.

Parou um instante de falar, olhou-me firmemente, com absoluta naturalidade, e continuou:

— Pareço-lhe uma mulher fácil, não é verdade? Pareço, sim, pareço... Mas não sou tão fácil como pareço... Sou também mineira, casada e honesta; honesta como eu entendo a honestidade, sem falso recato e sem tolos preconceitos. Penso por mim própria, tenho personalidade, considero-me emancipada. Não sou criança, tenho viajado muito, conheço a vida. Por tudo isso, porque sou diferente e não dou conta de meus atos a ninguém, minha reputação não é lá muito boa; não, não é. Falam de mim, mas pouco me importa. Meu marido, que não é um homem vulgar, pensa como eu, compreende-me e não me contraria em nada.

Trincou um amendoim e bebeu a pequenos sorvos metade do seu Martini seco. Falou-me longamente do marido, Leo Vikar, húngaro aclimado no Brasil, mais velho que ela vinte anos. Emigrara ainda moço, da Europa, e viera com destino a uma colônia agrícola das vizinhanças de Sete Lagoas, fundada e mantida pelo governo federal. Leo Vikar recebera boa educação na Hungria e era oficial da reserva do exército magiar. Falava muito bem três ou quatro idiomas e em poucos meses aprendeu a língua portuguesa, sendo então escolhido para intérprete dos imigrantes Alemães, Austríacos e Húngaros que povoavam a colônia. Prestou serviços e fez boas relações entre os altos funcionários do Povoamento do Solo. Ao fim de quatro anos, era nomeado diretor da colônia agrícola em que trabalhava, graças ao empenho do chefe político daquela cidade, que se tornara seu amigo.

Por volta de 1918 o manganês atingiu alto preço na nossa pauta de exportação o que provocou uma febril exploração desse mineral até então pouco ambicionado. Como nos albores do povoamento das Minas Gerais, quando a descoberta dos primeiros aluviões e veeiros auríferos excitava até o desvairamento a ambição de riqueza dos aventureiros nossos antepassados, dois séculos depois a valorização dos depósitos de óxidos de manganês aguçava violentamente a imaginação de toda a sorte de exploradores ávidos de enriquecerem da noite para o dia. Metendo-se no negócio, Leo Vikar comprou nas cercanias de Ouro Preto uma rendosa jazida que imediatamente lhe proporcionou grandes lucros. Por essa ocasião conheceu Belinha, que então morava com um tio, fazendeiro nos arredores da antiga capital de Minas, agradou-se dela e tomou-a como mulher.

Quando a mina estava sendo aparelhada para decuplicar o rendimento, apareceram, armados de instrumentos judiciais que faziam valer os seus direitos, os legítimos possuidores das terras em que ela se achava, terras essas que haviam sido adquiridas de um Sírio chamado o *Rei do manganês*, ladino prospector de minas, que vendia por mil o que comprava por um, sem indagar muito dos documentos de propriedade. A miragem do manganês desvanecera-se logo.

Como aconteceu então a tantos outros, Leo Vikar viu-se de repente mais pobre do que ao deixar-se atordoar pelo deslumbramento da riqueza fácil e rápida. A época, porém, era propícia aos homens que tinham o talento dos negócios. Em consequência da guerra europeia, a agricultura teve em Minas grande incremento. Os preços das subsistências subiam vertiginosamente. Vendia-se tudo com enormes lucros. Leo Vikar tornou-se comprador, em grande escala, de milho, feijão e farinha de mandioca. Os *stocks* de gêneros de primeira necessidade, acumulados e retidos para forçarem a alta dos preços, dobravam, triplicavam, quadruplicavam de valor dentro dos armazéns, antes de serem revendidos. Os atacadistas enriqueciam rapidamente num ambiente de preços falsificados, especulação audaz e malandragens comerciais. Estabelecido com entrepostos em Montes Claros, Corinto, Sete Lagoas e Santa Bárbara, Leo Vikar tornou-se em pouco o maior açambarcador da produção de milho que por aquelas zonas se escoava para Belo Horizonte e a Capital Federal.

Com a baixa do marco, entrou na aventura inflacionista, empregando centenas de contos de réis na compra do depreciado papel moeda alemão. O despencamento total do marco deixou-o quase arruinado. Salvou-se, entanto, da queda porque o negócio do milho continuava a correr bem. Passados alguns anos, sobreveio grave crise comercial, com a queda dos preços, a depreciação dos *stocks* e a retração do crédito. Leo Vikar não resistiu ao novo golpe. Falido, saía do negócio mais pobre do que quando nele entrara. Deixou Minas, esteve no Paraná e depois no Rio Grande do Sul, a tentar fortuna. Pessimamente sucedido em suas empresas, e indo as coisas de mal a pior, voltou para Minas e deixou a mulher e os filhos na fazenda do tio de Belinha, enquanto ele aceitava o emprego de viajante comercial que o dono duma casa alemã lhe oferecera no Rio.

Por esse tempo, Belinha, que era normalista, obtivera um lugar de professora pública no povoado dos Taboões, perto de Ouro Preto. O pequeno vencimento mensal que percebia viera tirá-la da situação de quase miséria em que se achava com os filhos, pois os magros proventos do marido mal davam para os seus gastos individuais.

Falava com animação e desembaraço, sem sombra de constrangimento, como se estivesse em presença dum antigo camarada. Tinha a voz breve e cálida, embora levemente velada. As palavras animavam-lhe a fisionomia de mulher trintona, tornando-a quase bonita ou pelo menos picante.

— Não pode imaginar o que me tem acontecido, desde que me casei, continuou. Já passei por tanta coisa! Tenho conhecido horas de grande felicidade, anos de riqueza, dias de sossego... e outros de infelicidade, pobreza e agitação.

Perguntei:

— Seu marido é ciumento?

— Só quando há motivos muito fortes, respondeu. Leo confia em mim... até certo ponto, bem entendido. Sorriu, molhou os lábios com um derradeiro gole do aperitivo e, louvando o esposo, disse:

— Não faz ideia... É um espírito superior!

— Deve ser. E tem a companheira que merece.

— Deixo passar a ironia. Mas, creia ou não, afianço-lhe que sou realmente uma boa companheira. Estimo meu marido, faço-o feliz e ele não pode viver sem mim. Dou tudo o que posso dar. Mas os homens são exigentes e pedem às vezes o impossível, não é verdade?

Através do lume de seus olhinhos pretos, maliciosos e astutos, adivinhava-se uma alma ávida de sensações, algo perversa. E dava prazer ouvi-la conversar.

Saímos. Era hora de Belinha recolher. Entrei numa casa de frutas, mandei fazer um embrulho de maçãs, peras, uvas, pêssegos, ameixas. Segui com ela no bonde "Cruzeiro" até o ponto terminal da linha e acompanhei-a a pé, ainda alguns metros, até à porta de sua residência.

Isto é para as crianças, disse eu ao despedir-me, entregando-lhe o embrulho.

10. ALLEGRETTO.

Vimo-nos ao dia seguinte, no mesmo ponto, pouco depois da hora do almoço. Belinha estava livre: era quinta-feira, dia de sueto nas escolas; podia ficar comigo o tempo que eu quisesse. Tomamos logo um automóvel e fomos ter à casa de certa mulher que me fora recomendada como pessoa de toda confiança e discrição.

Belinha contou-me o pequeno aperto que passara na véspera, por minha causa. Ao entrar em casa, encontrara o marido, que a esperava já com alguma impaciência. Diante dele desembrulhara as frutas que eu lhe dera. Que variedade! E frutas caras! Ela mesma ficara um tanto espantada. O marido saltou logo com uma pergunta: "Onde arranjou você tudo isso?" Sabia que ela saíra de casa levando na bolsa apenas cinco mil réis. Como era possível aquele milagre de Pomona que valia vinte? Sem titubear, Belinha forjara imediatamente uma explicação: fora visitar uma colega e demorara-se com ela a tagarelar; depois, em caminho, encontrara-se com uma pessoa conhecida, certo funcionário da Instrução a quem ela devia alguns obséquios. Era eu, Sezino de Sousa, o funcionário a que aludira; o marido devia lembrar-se, pois ela já lhe falara no meu nome algumas vezes. As frutas eram um presente meu.

Sim, sim, o marido lembrava-se de ter ouvido o meu nome. "Está bem", disse ele; "mas você acha que eu poderia fazer, sem inconveniente, um presente como esse à senhora de "seu" Sezino?" Belinha não se desconsertou. Mentira puxa mentira, inventou com facilidade uma nova peta. O caso era que eu, Sezino de Sousa, gostava muito de pássaros, disse ela; soubera-o, e, para se mostrar agradecida aos obséquios de mim recebidos, tivera a lembrança de me oferecer um dos melhores canários franceses que tinham em casa. Cativo daquela fineza, eu tomara a liberdade de a presentear com umas frutas para os pequenos. "Ah! se foi assim..." conveio o marido, já tranquilizado.

Mas aquilo não bastava. Era preciso entretê-lo uns momentos, antes que lhe ocorresse a ideia de ir contar os canários, a ver se ela falara verdade. Belinha interrogou-o: "Você leu hoje o *Minas*? Não? Veja o que diz o Secretário da Instrução". Apanhou o jornal e, dando-lho, disse: "Leia este Aviso. O Secretário declara que, daqui por diante, só serão nomeadas diretoras de grupos escolares da Capital as professoras que tiverem o curso de aperfeiçoamento. Quer dizer que eu ficarei marcando passo a vida toda, como simples professora"

Enquanto o marido se distraía com a leitura, correu à varanda e soltou um dos canários do viveiro. O pássaro liberto desferiu um pequeno voo e foi pousar numa mangueira do quintal. Ficou ali um instante, parecendo assustado e tonto, desabituado à liberdade. Voou de novo, dessa vez em direção à rua, mas voltou logo a repousar na mesma mangueira. Belinha acompanhara-lhe os movimentos, um pouco ansiosa, como a dizer-lhe: "Vai, canarinho, não me comprometas". O pássaro, afinal, levantara um voo mais longo e desaparecera como uma flexa por trás dos telhados vizinhos.

Contou-me isso com jovialidade, achando imensa graça à história.

Pedi-lhe desculpas:

— Sinto muito o acontecido. Fui o causador de tudo.

Ora, não teve importância, respondeu-me ela ainda a rir. São coisas que acontecem todos os dias.

Chegados à casa a que nos destinávamos, recebeu-nos numa saleta pobre mas asseada uma mulher meio madura, de fisionomia murcha e aspecto necessitado, que estava acompanhada de duas meninas já em idade de compreenderem certas coisas. Enquanto nos entendíamos com a dona da casa, as meninas não saíram de perto dela, nem tiraram os olhos de cima de nós, a examinarem, atentas e silenciosas, com a curiosidade própria das crianças, nossas pessoas, palavras e movimentos.

Entramos constrangidos no quarto de casal que nos era indicado, quarto típico de hospedaria de ínfima ordem, com a sua cama larga de madeira ordinária, criado mudo, cadeira de palhinha e, num ângulo, o toucador de espelho embaçado, com jarro e bacia de louça sobre a pedra mármore.

Belinha foi a primeira a falar:

— Você viu como nos olhavam as pequenitas? disse ela, ainda encalistrada. Lia-se que adivinhavam o que vimos fazer aqui. Estou passada!

E eu, também encabulado:

— Sim, o olhar daquelas crianças tirou-me metade do entusiasmo. Sinto o sangue gelado nas veias.

Não estávamos à vontade naquele quarto, que por mal de nossos pecados exalava um fartum enjoativo de mofo, suor e sais amoniacais. Saímos logo, ambos um tanto desapontados do quase malogro de nossa primeira entrevista adulterina.

Ordenei ao *chauffeur* que tocasse para a estrada de Nova Lima. Longe da cidade, bem ao alto da serra, fizemos uma parada num lugar que nos pareceu o mais ermo. Um sol estival, fulgurante, diáfano, banhava a paisagem numa luz incrivelmente clara, vivíssima. O céu estava tão luminoso e era tão intensa a reverberação solar, que os olhos mal podiam contemplar o espaço, fechando-se logo, fatigados e lacrimejantes. E ali, enquanto o complacente motorista descia do carro para admirar o panorama, em verdade maravilhoso, que se descortina daquelas alturas, Belinha atirou-se a meus braços com avidez, e por momentos, sob o céu translúcido, seus gritinhos, ais e suspiros de erotomaniaca romperam a quietude dos grandes matos que nos rodeavam. Com tranquila impudicícia entregou-se a mim, quase ante as vistas do *chauffeur*, como se ele não fosse também um homem e sim uma das árvores do caminho.

Estas escaramuças amorosas, repetidas umas poucas vezes, não eram de molde a contentar-nos. Em vez de apaziguarem nossos desejos, não faziam senão exacerbá-los. Precisávamos dum pouso certo onde nos pudéssemos amar com sossego, vagar e comodidade. Foi em casa de "siá" Durvalina, a quem fomos pedir hospitalidade, que conheci em toda a sua força o gênio erótico da mulher de Leo Vikar.

Belinha despira-se rápida e pulara para a cama elástica como uma boneca de borracha. Esperava-me estendida ao comprido no leito, as coxas unidas, a cabeça reclinada nas almofadas, as mãos cruzadas por baixo da nuca, na mesma posição da *Maja desnuda* que Goya pintou pensando talvez na duquesa de Alba, a qual também não era grande, nem perfeita, nem bonita, mas uma mulherzinha redonda, agradável e excitante. Esperou-me com impaciência, as pálpebras a bater, as narinas frementes. Quando eu, nu contra nua, já constrangia num amplexo ávido o seu corpo jeitoso e carnudo, admiravelmente adequado ao prazer, um corpo sólido de mulher que as fadigas de quatro maternidades não tinham arruinado, ela desvencilhou-se dos meus braços e com um repelão arrancou o porta-seios, única peça de vestuário que lhe restava sobre a pele. Atirado ao alto, por cima da cabeça, o porta-seios foi cair numa oleografia emoldurada do Sagrado Coração de Jesus que "siá" Durvalina colocara à cabeceira do leito de aluguel. Rimo-nos da involuntária irreverência, mas Belinha, pondo-se logo meio séria, soergueu-se nos joelhos, virou a frente da imagem para a parede, e murmurou:

— Tu, meu Jesus, perdoaste a adúltera, mas é melhor que não vejas nada.

E logo, a rir, voltando para os meus braços:

— Se ele a houvesse surpreendido em pecado, nua, como eu aqui, não a teria talvez perdoado.

Disse e, arrojando-se contra mim, envolveu-me em seus braços impetuosos, atolou-se no meu corpo, com as suas carnes a gritarem contra as minhas carnes. Caspité! que bravura! A poderosa sexualidade de Belinha dominava o ritual erótico. Sofri a ação vertiginosa, fui em verdade o possuído.

Não sou moço, tenho bastante experiência do amor físico; mas a prova máxima da emoção voluptuosa tive-a só aquele dia.

11. ALLEGRO.

Dentro em pouco, tanto entre as pessoas das relações de Belinha, como entre as do meu conhecimento, tornava-se notória a nossa ligação. Tínhamos encontros diários nos lugares mais públicos da cidade. Andávamos os dois por toda a parte, sem temor às más línguas. Costumada desde muito a ter o nome na boca do povo, Belinha não punha nas suas relações comigo o menor resguardo ou discrição. "Desprezo a opinião do mundo" dizia-me ela, que se julgava emancipada dos comuns preconceitos burgueses. Mas afligia-se por minha causa, receando que os meus viessem a saber de tudo. Contagiado por sua tranquila falta de reserva, perdi a pouca circunspeção que ainda me restava e passei a enfrentar a opinião pública com um descaramento de que não me supunha capaz.

Eram muitas as pessoas que me falavam de Belinha, e não poucas me aconselhavam, filantropicamente, a ter toda a cautela. As opiniões não discrepavam: eu devia precatar-me dos seus engodos, pois tratava-se de uma mulher perigosa, um nixo, um desses demônios femininos que arrastam os homens a sua perda. Indivíduos que eu mal conhecia saíam de seus cuidados para me virem dizer que ela tivera estes e aqueles amantes e se entregava com facilidade a quem a queria. Mencionavam fatos, citavam nomes. Eu deixava-os falar, não sem prestar ouvidos um tanto complacentes a tais coscuvilhices. Por um lado, todos aqueles tagarelas impertinentes que se metiam com a minha vida, dando-me inanes conselhos ou censurando inutilmente a minha inclinação sentimental, causavam-me algum enfado e certa impaciência; mas, por outro, alimentavam e aguçavam em mim uma natural curiosidade: a de conhecer pelo miúdo a história de Belinha, que não podia deixar de interessar-me, e interessaria a qualquer, pois não era uma história muito vulgar.

Num daqueles dias contei-lhe tudo o que eu ouvira propalar a seu respeito. Estávamos aconchegados um ao outro no leito em desalinho, sumidos ambos em doce lassidão, brandamente fatigados por longos minutos de prodigiosos debates de amor, num corpo-a-corpo em que Belinha levava a melhor, tanto pelo vigor de sua genitalidade excepcional, como pelas engenhosas carícias em que era fértil o seu espírito salaz.

Ela ouvia-me em silêncio. Com a minha cabeça apoiada em seu colo, afagava-me os cabelos e arrancava os fios brancos que ia encontrando. À proporção que os arrancava, mostrava-mos triunfante, anunciando: "Mais um... Mais um..."

Dava-me prazer, aquilo. Mas achei melhor adverti-la:

— Cuidado com essa depilação. Olha que me limpas o crânio.

— Só arranco os escandalosamente brancos. Não são muitos.

— Deixa-os ficar, querida. Deixa-os ficar, que posso pintá-los. Prefiro a canície à calvície.

— Tudo é a mesma velhice.

— Bem sei. Mas as cãs tingem-se. A calva é muito mais feia e não tem remédio.

Quando acabei de lhe referir os murmúrios que eu ouvira acerca de sua vida, soltou-me a cabeça e, inclinando-se para me fitar bem na face perguntou com certa apreensão no olhar e na voz:

— Você acredita em tudo o que se conta de mim por aí?

— Em tudo, não. Essas coisas sempre se exageram. Mas acredito em parte.

— Não sou santa. Nem muito menos...

Tapei-lhe a boca com um beijo:

— É assim mesmo que gosto de meu bem.

Gostava, realmente. Que vira eu na mulher de Leo Vikar? Não o saberia dizer. Só sabia que estava enfeitiçado por ela. "Que é que Fulano achou naquela mulher?" Eis a pergunta que se faz, desde tempos imemoriais, a propósito dos homens que se apaixonam. Quem ama é incapaz de explicar os motivos exatos de sua inclinação amorosa. Há, sabe-se bem, uma física geral do amor, uma lei universal da atração dos corpos. Mas, quem poderá conhecer as determinantes íntimas, as razões especiais, as afinidades magnéticas que atraem particularmente duas criaturas de sexo diverso?

Alguns conhecidos meus mostravam-se espantados de que eu pudesse ter perdido a cabeça por uma mulher como aquela, sem atrativos físicos, mãe de quatro filhos, batida, farta de prazeres sensuais, fácil como uma galdéria. Queriam, talvez, que eu me apaixonasse por uma vênus de museu, uma beleza canônica, impassível, sem sangue e sem nervos, fria na sua perfeição plástica. Censuravam-me porque eu escolhera uma amante que tinha conhecido mais homens que o tolerável. E estavam, todos, muito convencidos de que entendiam de mulheres e sabiam o que era o amor. Idiotas!

Lembrando-me disso, perguntei a Belinha, um pouco por brincadeira e também com certa curiosidade malsã:

— Você deve ter conhecido muitos homens. Quantos?

— Não é pergunta que se faça, respondeu ela. Especialmente a uma mulher como eu. Conheço a vida. Sou uma mulher emancipada, dona do meu nariz. Viajei com meu marido grande parte do Brasil. Fomos ricos, vivemos no luxo e na fartura. Perdemos depois os nossos haveres, caímos em pobreza e houve dia em que sofremos fome. Sim, sim, conheço a vida.

Eu insistia em remexer nos seus antecedentes amorosos:

— Sabes o que a tua vizinha Zulmira contou a um amigo meu?

— Alguma grande mentira, com certeza. Que foi?

— Contou-lhe que eu ando de cabeça virada por tua causa e que nos encontramos todos os dias ao saíres da escola. Disse que um dia destes, estando ausente teu marido, apareci de automóvel à porta de tua casa, tarde da noite e que lá pernoitei contigo, só saindo de madrugada. Acrescentou que, conversando comigo, me dissera francamente: "O senhor está gostando de dona Belinha, "seu" Sezino? Olhe que ela é de todo gato sapato. O marido é um infeliz; não tem um filho do qual possa dizer: "Este é meu, tenho a certeza". Vê o caçula? Saiu moreninho, não é? Pois é filho dum mulato, o estafeta postal Chico Bento..."

— De quem? soltou Belinha, tornando-se muito vermelha.

— Do estafeta postal Chico Bento, repeti. Esse estafeta, pelo que disse a Zulmira ao tal amigo meu, era quem levava a correspondência de Ouro Preto para os Taboões, onde você foi professora. Não é isso mesmo?

Belinha abriu a boca para interromper-me, mas eu fechei-lha outra vez, pondo-lhe um dedo sobre os lábios, e disse:

— Já sei, já sei... Tudo mentira da Zulmira. E a verdade é que eu nunca conversei com ela a teu respeito. Nunca.

— Aquilo é uma depravada moral, intrigante e mentirosa por doença. Ainda bem que a conheces.

Conhecia, sim. Tratava-se duma professorinha leviana e maldizente, já trintona e ainda solteira, companheira de Belinha no mesmo grupo escolar. Eu, entretanto, considerava de mim comigo: a professorinha é uma mitomaníaca; o testemunho é uno e indivisível; quem mentiu uma vez, mente duas e três; porém quanto ao caçula, tinha poucas dúvidas: era, com toda probabilidade, filho do tal estafeta.

— E acreditas que fui amante do Chico Bento? perguntou ela.

Tranquilizei-a:

— Não tenho ciúmes retrospectivos. Seriam ridículos. O que passou, passou.

— Então, ama-me muito e não me perguntes nada, sim?

Soltando uma risada, deu um pincho na cama, alegre como uma colegial à hora do recreio. Ato contínuo, puxou-me para os seus braços e, mal tocou em meu corpo, a sua carne carregou-se novamente de eletricidade sexual. Os olhos a brilharem de luxúria, as mãos crispadas pela violenta emoção do desejo, arrebatou-me outra vez num torvelinho de frenéticos afagos, abrasou-me nas sarças de fogo de sua natureza ardente e devastadora batida por contínuas tempestades de carne.

Era aquilo o que eu queria. Era aquilo. Pouco me importava que ela não fosse nova, nem casta, nem bela. Pouco me importava o seu passado. Não havia eu também abjurado, esquecido o meu? Só queria saber das horas em que a tinha junto a mim. Todo o interesse da vida concentrara-o naqueles divinos minutos de paroxismo dos sentidos, em que parecem romper-se, numa aspiração de eternidade, os laços temporais do ser.

Era preciso conhecer Belinha, como eu a conheci, em seu clima apropriado, que era o do amor físico, para compreender como certas mulheres, estaticamente feias, se tornam dinamicamente belas quando transfiguradas pelas energias específicas do sexo em liberdade.

— Crês que conheci muitos homens? disse-me ela, maliciosa, ao ver-me satisfeito e feliz.

Correu as mãos espalmadas pela nudez de seu ventre liso e de suas coxas roliças:

— Vê então se descobres no meu corpo as marcas desse conhecimento...

— No corpo, não. Mas na alma...

Não me deixou concluir:

— Na alma também não, tolinho. Não vês que teu amor lhe restituiu a pureza?

Soerguendo-se no leito, compôs o rosto com seriedade e disse:

— Se realmente gostas de mim, que faz ao caso seres o primeiro ou o último? És o único: não é tudo o que importa?

12. APPASSIONATO.

Numa fábula céltica descreve-se do seguinte modo o amor dum homem: "Não havia um só membro, nem sequer uma manchinha do interior duma unha, nem lugar algum enfim, que não estivesse totalmente saturado de amor para com a donzela".

Assim estava eu, impregnado, saturado de paixão amorosa, três meses depois de ter conhecido a mulher de Leo Vikar. E essa paixão, rompendo o meu equilíbrio interior, turvara-me o espírito, embotara-me a vontade, reduzira toda a minha vida afetiva a um único sentimento, congestionado, hipertrofiado, dolorido.

Quando não a tinha a meu lado, sentia-me intranquilo, angustiado, impaciente até o desespero. Os momentos que passava em sua companhia, jubilosos como uma festa dionisíaca, sedativos como um bálsamo, mitigavam passageiramente as minhas ânsias, mergulhavam-me em doce torpor. Mas tão breves! Eram relâmpagos de intensa alegria nas trevas dum longo sofrimento. Como pode a divina tortura do amor exaltar e enlouquecer a tal ponto o coração do homem?

Capacitado de que o amor tem uma base física e convencido de que o tormento amoroso, como eu o sentia, era por força uma doença, qualquer coisa como uma intoxicação dos centros nervosos, fui procurar o doutor Benfica, o psicanalista, que se tornara muito meu amigo. Encontrei-o espichado num sofá, a ler um romance de aventuras. No tapete jazia uma respeitável brochura em alemão, aberta ao meio e com as costas voltadas para cima.

— Como, "seu" Sezino! exclamou, quando acabei de lhe contar o que se passava comigo. Como? Você está amando e ainda se queixa? O amor é a mais sublime exaltação da vida! Sofre por isso? Que importa! Há, realmente, mais sofrimento do que gozo na voluptuosa ilusão erótica. Sofrer... gozar... sístole e diástole do venturoso delíquio...

Cortei-lhe o ímpeto oratório, antes que desatasse a sua habitual facúndia:

— Mas eu já não me aguento! Estou ficando maluco... positivamente maluco!

O médico voltou-se para me fitar bem no rosto e, passando amigavelmente um dos braços por trás dos meus ombros, disse, com uma fulguração no olhar:

— Compadeço-me de você, caro Sezino. Compreendo e lamento o que lhe está acontecendo. Quer saber? Eu achava-me nesse mesmo estado, há pouco tempo. Igualzinho. Pior, talvez. Apaixonei-me, de repente, por uma moça de boa família, aqui das nossas relações. Apaixonei-me quase até à insânia. Ela dava-me corda, a namoradeira, e parecia gostar de mim. Um dia, já sem poder dominar-me, depois de ter soltado urros de paixão — urros, sim senhor! — neste mesmo sofá, mal conseguindo ocultar de minha mulher os sentimentos que me desvairavam, fui encontrar-me com a moça e propus-lhe casamento. É como lhe estou dizendo: casamento! Falei-lhe mais ou menos nestes termos:

"Se você está disposta a viver comigo o nosso ideal de amor, eu me divorciarei de minha mulher. Ela é rica, não precisa de mim. E morrerá breve, pois é tuberculosa em grau adiantado. Você tem oito dias para me responder". Eu estava delirando, não acha você? Delirando... Pois bem, naqueles oito dias, enquanto não vinha a resposta, que graças a Deus não veio, eu continuei a dar urros neste quarto. Porém dessa vez — ouça bem, caro Sezino! — dessa vez, com um medo atroz de que a moça, levianamente, viesse dizer-me que aceitava a proposta desatinada que eu lhe fizera!

Senti os seus dedos crisparem-se em meu ombro. A voz tremia-lhe um pouco, ligeiramente velada. Acendeu um cigarro, puxou uma longa fumaça e disse:

— Creia, ainda não me refiz inteiramente do grande susto.

— Não há então remédio? perguntei.

— Na botica, não. Mas há o tempo, que é galantuomo; o tempo, remédio de todos os males. Depois da máxima expansão do amor, sobrevém o fastio, forçosamente, naturalmente.

Abanei a cabeça, duvidando. Ele sorriu:

— Já sei no que está pensando. Acha impossível enfastiar-se, não é isso? Acha, sim. Pois então vá amando, vá amando, até à saciedade. Farte-se. Quando menos esperar, estará enfastiado, entojado. Com o fastio, com o entojo, virá a cura. Não duvide: o amor é sempre a mesma rapsódia. Conhece, decerto, aqueles versinhos, não me lembra agora de quem, parodiados de Musset:

O amor, contraditória e estranha criatura,
Vive de inanição e morre de fartura.

E ajuntou:

— Versinhos um tanto cínicos, não acha? Cínicos, isto é, verdadeiros segundo a linguagem da filosofia natural. O *quid* da paixão amorosa está explicado pela moralidade desse malicioso pensamento em verso. Admiravelmente explicado, não lhe parece? Pois é isso, amigo Sezino, farte-se, farte-se, e em pouco tempo estará curado.

Era aquele o remédio que me dava o doutor Benfica: a moralidade duns versinhos epigramáticos! De que valia toda a sua ciência neurológica e psicanalística? Levantando-me, gritei-lhe:

— Se isto dura ainda um mês... que digo!... se dura ainda quinze dias, oito dias, creio que cometerei um desatino. Já não respondo por mim!

O médico acompanhou-me, sorridente, até à saída. Apertou a mão que eu lhe estendera e, retendo-a um momento nas suas, indagou:

— Você a2ainda está dormindo em casa?

— Estou, sim, ora essa!

— Então a coisa ainda não é grave.

13. HORROR AO LAR.

8 de Julho.

Mas... que dizia eu no começo destas páginas? Ah, sim... Dizia que minha mulher e meus filhos estão sofrendo por minha causa. Depois disso, passaram muitos dias, passaram semanas, e a situação doméstica não fez senão piorar.

E continuo a observar-me como se fosse um animal curioso, empenhado mais que nunca em registar sucessivamente nestes cadernos o principal de minhas ações e reações.

Pouco paro em casa; o lar causa-me horror; a mulher, horror; os filhos, horror. Horror, positivamente horror! Saio de manhã, mal me levanto. Volto ao meio-dia, para o almoço, mas quase não toco na comida. Vinte minutos depois ponho-me novamente na rua. À hora do jantar, a mesma coisa. Pois esses poucos minutos passados em casa parecem-me eternos, dão-me febre de impaciência. Sinto-me estranho, desorbitado, no meio dos meus. Não falo senão por monossílabos, resmungando, a testa franzida, a cara fechada. Volto tarde da noite e às vezes de madrugada. Durmo mal, em sobressalto.

Pobre Ricardina! Tenho dó dela, mas nada posso fazer. Já quase não nos falamos. Minha sogra observa-me em silêncio, o olhar pesado de censuras. Dardeja-me por vezes uns olhos terríveis de basilisco, como se quisesse fulminar-me em pensamento com toda a eletricidade do seu rico repertório de sarcasmos e injúrias. Domina-se a custo, sabe Deus como. Sou-lhe reconhecido pelo esforço que faz para não soltar a língua, o que a obriga a engulir o próprio veneno. A excelente senhora está corrompendo o seu sangue em vão. Eu agora sou invulnerável, tornei-me de borracha.

— Que é que você tem, afinal? pergunta-me Ricardina a todo o momento, preocupadíssima com o transtorno do meu gênio, torturada por me ver sempre mal-humorado, taciturno e esquivo.

— Sei lá!... Neurastenia.. respondo eu de mau modo, embezerrado, tornando a fechar-me no meu mutismo. E ela, aflita, crente de que me voltara a doença dos anos passados:

— Você perdeu a saúde outra vez. É isso. É o que lucra quem se mata a trabalhar. Você era o arre-burrinho da repartição: fazia tudo, enquanto os outros não faziam nada. Está aí agora o resultado.

Volta e meia, insistia:

— Você precisa tratar-se, Sezino. Vá ao médico. Um destes dias aconselhou-me a consultar o doutor Benfica. Alcei os ombros:

— Já fui.

— E que é que ele receitou? — Palavras. Palavras.

— Eu mesma irei procurá-lo, disse ela, resoluta.

Foi. Em presença de minha ludibriada esposa, que, ignorante de tudo, pedia um remédio para o infiel marido que padecia de amor por outra mulher, o doutor declarou que conhecia muito bem o meu estado, pois tivera ocasião de me ouvir dias antes, em seu consultório, e tentou tranquilizá-la sobre a natureza da minha suposta doença, para a qual inventou, com a sua lábia habitual, uma explicação que lhe pareceu talvez muito engenhosa, mas que era na realidade, completamente cerebrina. Havia em mim um ansioso, disse ele a minha mulher, um escrupuloso moral, que exagerava, até à deformação, certas manifestações afetivas, aliás nobilíssimas. Coração afetuoso, chefe de família extremosíssimo, eu sofria por não poder dar aos meus, como desejava, o máximo bem-estar, a maior soma de felicidade possível. Labutara sempre, labutava ainda, sem poupar-me, com o único fito de tornar felizes os que me eram caros. Por amor da esposa, pelo bem dos filhos, eu seria capaz de todos os sacrifícios. Chegara, de fato, a sacrificar-me com esse modo exagerado de entender a devotação à família, e, como visse o escasso resultado de meus esforços, apoderara-se de mim o desânimo, a tristeza e a neurastenia. Em consequência de tudo, atormentava-me o espírito uma ideia deprimente: eu pouco fazia por merecer a estima dos meus, que em vista disso mostravam subestimar-me. Ideia absurda? Sem dúvida. Ideia de hipocondríaco, que minha mulher poderia afugentar aos poucos. Como? Tratando-me, no lar, com toda a sorte de afagos, desvelos e atenções. Eu era uma alma terna e sensitiva que precisava de muito afeto, muito carinho. Assim lhe falou, mais ou menos nestes termos, o doutor Benfica. Por fim, receitou para meu medicamento um tônico nervino completamente anódino. Minha mulher, que não é tola, achou que a tal explicação não tinha pés nem cabeça e saiu meio desconfiada de que o doutor estivera a embaçá-la com potocas.

Estava no seu interesse inculcar aos de casa que eu fora acometido novamente de profunda neurastenia, em forma muito mais grave que a de alguns anos passados. Disso dependia a relativa paz da vida em comum. Ricardina inclinava-se a admiti-lo mas sem grande convicção. Buscava iludir-se a si própria. Na realidade, seu instinto de mulher lhe dizia que em nosso lar, outrora tão feliz, se introduzira um elemento de corrupção, bichando-o por dentro, como um belo fruto inçado de vermes. A seu ver, eu voltara de Duas Ilhas restabelecido da saúde, porém com a alma alterada por uma causa desconhecida. Efeito de algum sortilégio, talvez. Minha sogra levava tudo à conta do Demônio. A velha do sonho, no seu entender, fora o próprio Anjo mau que me lançara cavilosamente no espírito o fermento da dúvida e da perdição.

Não se via porém no momento outra explicação natural a não ser a neurastenia, e era esta a que todos aceitavam em casa, com exclusão de minha sogra, dia a dia mais suspeitosa de que havia um rabo de saia em tudo o que se passava comigo. Dona Milica andava farejando no ar o verdadeiro motivo, que certamente não tardaria em descobrir. Era milagre não o haver ainda descoberto.

Dona Milica ergue-se todo santo dia às quatro e meia da madrugada, e minutos depois inicia, em jejum, a sua jornada espiritual pelas igrejas da cidade. Quando volta para o almoço, às onze horas, traz a alminha fortalecida com o Preciosíssimo Corpo de Jesus, que recebe toda manhã e a que seguem várias missas, assistidas em diversos altares e diferentes igrejas. Depois do meio-dia, salta de novo para a rua, a fim de tomar parte em reuniões das muitas irmandades a que pertence; mexerica nas sacristias e em casa de comadres e viúvas, companheiras de beatério; orienta-se, em longas conversações cristãs, com os diretores espirituais de suas confrarias; ouve os guias dos círculos de ação social católica; postula para instituições devotas e participa de todas as campanhas promovidas pelo clero. Ao toque de vésperas, nova romaria às igrejas, para os infindáveis cultos em que Deus Pai, Deus Filho e Deus Espírito Santo, a Virgem Santíssima, os Santos e os Anjos, são devidamente venerados, honrados e invocados. À noite, ao recolher-se a seus aposentos e após consagrar-se a Nossa Senhora, ao Anjo da guarda e ao Santo do próprio nome, dona Milica sente o corpo moído das canseiras do dia, mas alegra-se com mais aquele esforço para alcançar as graças espirituais e temporais de que necessita. Em seu *score* de atividades santimoniais, que revelam invejável *performance*, inscrevem-se *records* de funções sagradas, maratonas de ladaínhas, vias-sacras, tríduos, setenários, novenários e trintários, campeonatos de bênçãos do Santíssimo, visitações da Virgem, responsos das almas do Purgatório, e outras muitas práticas do Devocionário do Bom católico.

Com a sua riquíssima vida de relação, transcorrida nos principais logradouros da tagarelice pública, dona Milica anda perfeitamente a par de intrigas e boatos, assim como dos rumores mais maliciosos que dizem respeito à família pequeno-burguesa da cidade. Como, pois, não lhe chegou ainda aos ouvidos a notícia da minha escandalosa ligação com Belinha? Aí está o que eu não compreendo. Aí está o que me enche de espanto. Mas não tardará em sabê-lo: é questão de dias ou, mais provavelmente, questão de horas. E quando a notícia estrondar aqui em casa, arderá Troia! "Já sabem de tudo" digo a mim mesmo, sempre que noto o cenho carregado de dona Milica, ou vejo mais anuviada que de costume a face de Ricardina. Observo-as a medo, dissimuladamente, quando falam comigo. Procuro vislumbrar no olhar hostil de uma e no olhar entristecido da outra o lampejo de algum pensamento suspicaz. Busco captar qualquer subentendido no significado aparente das palavras que me dirigem. E logo respiro, aliviado: "Uf! nada sabem ainda".

Ontem, à hora do jantar, mal engoli uma sopa, peguei o chapéu e ia a raspar-me novamente para a rua, quando minha sogra, não podendo travar a língua, disse alto para Ricardina:

— Vê? Está reservando o apetite para jantar com a outra...

Fiquei paralisado de temor, durante uns segundos. Mas, recuperando logo o meu sangue-frio, voltei-me para ela e interpelei-a em tom escarninho:

— Que perfídia está a senhora boquejando aí?

— Perfídia, não. Dobre a língua, meu genro, replicou dona Milica, fazendo força para se mostrar serena. Ricardina pode iludir-se com você, "seu" santinho do pau carunchoso. Ela é uma tolinha. Mas a mim ninguém engana. Quem não sabe que você faz das suas pela calada, velhacamente?...

— E que sabe a senhora, que é tão ladina?

— Sei de muitas coisas. Sei que você anda apaixonado por uma mulher.

Sentindo-me perdido, achei melhor enfrentar a situação, afoitamente:

— Pode dizer de que mulher se trata? Diga logo, desembuche.

— A mulher?... Agora não posso dizer quem é.

Dissipou-se metade do temor que a conversa me infundira. Fitando sem pestanejar os olhinhos fuzilantes de minha sogra, que por breves segundos despediam raios sobre mim e logo se ocultavam hipocritamente nas pálpebras empapuçadas, perguntei-lhe com um sorriso carregado de desdém:

— E quem a informou, se também não é segredo?
— O meu anjo da guarda.
— Quem?
— O meu anjo da guarda.
Contive a custo uma gargalhada:
— Parece que não ouvi bem, dona Milica. Quem foi mesmo o informante?
— O meu anjo da guarda, ouviu agora?
— Ouvi, sim. Mas faça o favor de repetir para não haver dúvida.
— Repito quantas vezes quiser. Foi o meu anjo da guarda. O meu anjo da guarda!
— Muito bem. Diga-o então mais uma vez para eu rir um bocadinho.
— Está me debicando, não é, "seu" enjoado?
— Não faça caso, mamãe, atalhou Ricardina, aborrecida. Ele é um herege que não crê em nada.
Diverti-me um pedaço à custa de minha sogra, provocando um pequeno diálogo mais ou menos semelhante a este. Por fim, quando vi que ela começava a estomagar-se com a minha troça, perguntei:
— Agora, uma coisa: como pode o seu anjo da guarda saber o que se passa comigo?
— Muito simples: por intermédio do seu, que lhe conta tudo.
— Do meu anjo da guarda?
— Sim, do seu anjo da guarda.
Olhei bem sua face de sexagenária austera incapaz de brincar com as coisas da Religião: estava séria, imperturbavelmente séria. Não me pude então conter: rompi às gargalhadas e saí alegre para a rua, deixando mãe e filha consternadas com a minha irreverência.

14. IRRA, QUE JÁ NÃO POSSO MAIS!

26 de Agosto.

A ideia de que minha mulher e minha sogra terão a qualquer momento a revelação da felonia que estou cometendo — ideia persistente, verrumante, insuportável — está esgotando a minha capacidade de guardar um segredo. A dissimulação tem limites, e já me custa continuar mentindo todos os dias, todas as horas, todos os minutos. Sinto que não poderei, por mais tempo, comprimir a consciência e calar a minha traição. Irra! que saibam logo de tudo, mas acabe-se com a situação falsa em que me acho.

Todos me tratam em casa com os maiores cuidados, como a um doente querido. Ricardina enche-me de mimos, cumula-me de atenções delicadas e afetuosas. E isto não faz senão aumentar a minha irritação. Antes fosse o contrário: eu teria preferido que me maltratassem, desprezassem, injuriassem. "Apesar de tudo, ainda gosto de você, como gostava em outro tempo, como sempre gostei", diz minha mulher. Antes ela me dissesse: "Você é um canalha, um cínico, um perdido!"

Eu me refreio a custo. Estou para gritar-lhes, face a face, a qualquer momento: "Sim, Ricardina, é certo que me apaixonei por uma mulher! Sim, dona Milica, é verdade que tenho uma amante! E sabem quem é? Não sabem ainda? É..."

Impossível. Seria demasiado brutal. O esposo mais rude não teria o ânimo de revelar diante da própria mulher, com propósito deliberado, a sua inconfidência marital.

Às vezes penso em delatar-me pelo telefone. O telefone automático — invenção maravilhosa! — é o anonimato perfeito. Figuro esta cena simples, em que eu próprio me denuncio: Ligo para minha casa, chamo dona Milica ao aparelho e, em voz de falsete, como é de uso, entabolo com ela um breve colóquio — um dramático colóquio — em que seu genro lhe é denunciado como adúltero notório e procaz. Nem um instante sequer passa pela mente de minha sogra o pensamento duma denunciação caluniosa. Aquela voz de tiple, voz típica de anonimato telefônico, soa aos seus ouvidos como a própria voz da Verdade cujo timbre inconfundível se impõe subitamente ao coração humano. A revelação, aliás, não a surpreende muito: vem apenas confirmar uma suspeita que dia a dia se avigorava em seu espírito. Mas, ainda assim, é grande o choque. Abalada com o que lhe comunicam, por pouco não deixa cair o fone que tinha colado ao ouvido. Porém recobra logo a segurança de si mesma, invocando o nome de Jesus. Grita para Ricardina que corra a ouvir uma confidência gravíssima. Ao informar-se do que se trata, minha mulher fica estarrecida de dor e indignação. Violenta crise de nervos. Dona Milica, excitadíssima, pede esclarecimentos, quer saber o nome da cúmplice adulterina de seu genro: "Alô, alô! Diga quem é a mulher... Se a pessoa que está falando aí não é uma vulgar caluniadora, diga o nome da amante do Sezino!

O nome!... Peço-lhe, pelo amor de Deus e da Virgem Maria... Alô, alô!..." Pede em vão. Só metade do segredo lhe é revelado. A outra metade, que ela própria procure descobri-la, tornando-se mais atilada e aperfeiçoando os seus métodos de espionagem. É o que lhe digo, em remate, interrompendo subitamente a comunicação.

É assim que eu imagino a cena da minha autodelação. E assim já o teria feito, se uns restos de respeito, temor e prudência não me retivessem ainda. Mas penso que não poderei resistir muito tempo. Preciso desabafar, descongestionar a consciência. Preciso, aconteça o que acontecer, sair desta horrível situação, ainda que para outra mil vezes pior.

Infelizmente, não tenho coragem de confessar a minha paixão adulterina. Continuarei a dissimular e a mentir. Que ignorem tudo, enquanto o acaso não decidir o contrário.

Leo Vikar também nada sabe ainda. Assim o creio, pelo menos. O diabo é que a sua presença na cidade tem estorvado um pouco as minhas entrevistas com Belinha. Tendo-se fechado no Rio a casa de negócio para a qual viajava em Minas, só conseguiu arranjar em Belo Horizonte a precária ocupação de agenciador de rádios e vitrolas, que mal dá para as suas despesas pessoais. Está quase sempre em casa, descontente, azedo, a implicar com a mulher quando ela tarda um pouco na rua. Ora, tê-la a meu lado, a todas as horas do dia e da noite, é o meu veemente desejo, pois sinto mais necessidade dos seus contatos que de comer e dormir.

As horas em que não estou junto dela, passo-as na rua procurando matar o tempo, contendo a custo a minha impaciência, aborrecendo-me mortalmente. Em todo o caso, sinto-me menos infeliz na rua do que na intimidade do lar. Sempre me distraio um pouco, conversando nos cafés e outros pontos de reuniões. A razão é simples: só procuro e tolero aquelas pessoas em cuja presença posso aludir às minhas relações com Belinha. E acontece que não poucas dessas pessoas têm ou tiveram casos sentimentais iguais ao meu, o que é motivo para longas confidências recíprocas. Mas há também os moralistas ranhetas, os censores caturras, que verberam francamente o meu procedimento, achando-o indigno dum homem de bem, e creem que está em meu poder acabar com a escandalosa ligação. São os palmatórias do mundo, os fomentadores da virtude alheia, sempre dispostos a intervir em nossa vida particular, para nos ditarem normas de conduta ou nos compelirem a assinar *termos de bem viver*, capacitados de que estão cumprindo com os deveres da amizade. Outros há, tolerantes e compreensivos, que se limitam a lamentar o meu caso, que aliás nada tem de novo nem de interessante. Outros, ainda, aconselham-me a romper, custe o que custar.

Um destes é o meu amigo Cesário Louro, o grande frecheiro, que se gaba de ter amado — estupendo *record* de casanovismo! — vinte e cinco mulheres diferentes, de regular qualidade, num mês e trinta dias. Cesário Louro não compreende o que está sucedendo comigo; absolutamente não compreende que um homem possa gostar duma só mulher e, ainda por cima, arda de paixão por essa fêmea única, privilegiada, e cometa desatinos, sacrifique a paz do lar, comprometa a própria reputação, estrague a vida e desgoste os amigos. Não lhe entra na cabeça que se possa complicar a tal jeito uma coisa simples, sã e elementar, como é a atração dos sexos.

— Rompa, Sezino! Rompa, enquanto é tempo!

Foi o que ele me disse, a última vez que nos vimos.

Eu reluto. Romper! Impossível. Não sei conceber maior impossibilidade do que esta: haver um momento em que o meu amor por Belinha deixará de existir. Há uma vontade de amar, como há uma vontade de viver, que afirma o desejo de durar, aspira à imortalidade e repele violentamente a ideia do próprio fim.

— Romper! Você não sabe o que está dizendo, Cesário! Você já amou a alguém, verdadeiramente? Não creio que tenha amado. Não, não creio. Você é um grande virtuoso da arte de conquistar mulheres. Reconheço a sua competência técnica nessa matéria. Mas de amor, daquilo a que se pode legitimamente chamar amor, você não conhece ainda a primeira letra.

O Cesário protestou contra as minhas palavras:

— Conheço, como não? Mais do que você imagina. Conheço isso muito bem e sei como é perigoso. É a razão por que fujo dele o mais que posso. Esteja certo do que lhe digo: em amor só vence quem bate em retirada. É a estratégia que Napoleão aconselhava. É a minha estratégia. Pense bem, siga o meu conselho: rompa! É duro, eu sei, mas há casos em que só os remédios drásticos dão bons resultados.

Abanei a cabeça, descoroçoado:

— Parece fácil, dito assim a frio. Mas, para romper, é preciso ter alma de herói, e eu sou um pusilânime.

15. O EMBRIÃO INDESEJÁVEL.

14 de Setembro.

A tarde passada, depois do jantar, ia eu a sair com a mulher para deixá-la em casa duns parentes, quando um homem bateu na nossa porta, perguntando por mim. Era o Pechincha, *chauffeur* de praça muito procurado para certos serviços especiais, por serem notórias a sua absoluta discrição, a sua filosófica tolerância e a modicidade dos preços que cobrava. Minha amante e eu tínhamos utilizado o seu carro várias vezes.

Disse-me o Pechincha, rapidamente e em voz baixa, que a Belinha estava a minha espera ali perto, no jardim da Praça da Liberdade, e precisava falar-me com a máxima urgência. Era só tomar o carro, e em poucos minutos eu estaria de volta.

Que quereria ela de mim, mandando-me chamar àquela hora, em minha própria casa?

Acontecera, por força, alguma coisa grave. Havíamos passado duas horas juntos, aquela tarde, como de costume. Não havia ainda três horas que eu a deixara, contente e despreocupada. Que teria sucedido nesse intervalo? O marido, provavelmente, soubera de tudo, e armara-se o drama. Foi a ideia que me passou logo pelo pensamento, enchendo-me de terror.

Fortemente comovido, voltei para junto de minha mulher, que notou imediatamente o transtorno das minhas feições:

— Que é isso, Sezino? Você está suando frio.

— Não estou suando frio, protestei, querendo dissimular a comoção.

— Está, sim. Você está muito pálido, com o rosto banhado em suor. Que foi que aconteceu?...

Passei a mão pela testa: estava alagada. Mal me aguentava nas pernas frouxas, o queixo a tremer e o corpo a banhar-se todo de suores frios. As coisas começaram a dançar em redor de mim. A comida subiu-me à garganta. Corri à privada e vomitei. Com a carga do estômago, que por felicidade era pequena, lancei fora também grande parte da emoção que me agitara e relaxara o ventre. Fiquei um tanto aliviado. Ricardina, no cúmulo da aflição, alvorotou a casa e a vizinhança mais próxima, agitada como uma louca, gritando que me acometera um ameaço de congestão. Em poucos instantes, dois médicos foram chamados pelo telefone e boa parte da vizinhança ficou sabendo que eu não estava passando bem de saúde. Já dois ou três rostos de vizinhos mais pressurosos apontavam a nossa porta, pedindo notícias, curiosos de saberem se me havia sucedido alguma desgraça.

Sentindo-me refeito da comoção, procurei tranquilizar minha mulher:

— Já passou, não foi nada.

— Como? Você acha que não foi nada? Foi sim, foi um ameaço de congestão.

Era o que eu também pensava, impressionado com o que me acontecera. Diacho! eu escapara de boa.

— Foi uma coisa à tôa. Deve ser do estômago.

— Mas você quase não tocou na comida.

O estômago já estava indisposto e não tolerava nenhuma.

Vendo que eu pegava novamente o chapéu e me dispunha a sair, Ricardina lembrou-se do homem que me viera chamar. Quis saber quem era e por que motivo causara em mim tão grande choque. Forjei uma explicação: era um fornecedor de material escolar, que desejava ouvir-me a respeito de certa proposta feita por ele à Secretaria da Instrução Pública; esperava por mim no café mais próximo; assunto de dez minutos; aquilo nada tinha que ver com o meu súbito malestar, felizmente sem importância.

Pareceu acreditar, mas não queria que eu saísse.

— Acho melhor esperar o médico, disse-me. Chamamos dois, e um deles ao menos não tardará a chegar.

— Pois agora é telefonar a ambos, dizendo que já não há precisão.

Tomei o auto do Pechincha e fui ter com a Belinha, num dos recantos mais ermos e ensombrados do jardim. Encontrei-a sentada em um banco, agitada e impaciente, a dilacerar nervosamente o seu lencinho.

— Adivinho o que aconteceu, fui dizendo logo que a avistei. Ele já sabe de tudo, não é isso?

— Não, nada sabe ainda, mas não tardará a saber.

Falou-me, sobreexcitada, do horrível apuro em que se achava. Ao voltar para casa, pouco depois de se haver separado de mim, sentira certas coisas que não lhe deixavam dúvidas: estava grávida. Desde alguns dias, andava com esse receio, tanto que até tomara umas pastilhas abortivas. Agora, tinha a certeza. Que fazer? Tornava-se necessário agir sem perda de tempo, se é que ainda era tempo de agir com eficácia.

Havia razão para tal apuro. Depois que lhes nascera o terceiro filho, tanto Belinha como o marido convieram em que três já eram de mais e aquele seria definitivamente o último. Ela, com a preocupação de poupar o corpo aos trabalhos de novas e cada vez mais penosas maternidades, e ele, como partidário que era de Malthus e das humanitárias práticas anticoncepcionais, tomaram daí em diante as precauções necessárias para se amarem sem se multiplicarem. Durante uns cinco anos tudo correu bem, até que, passado esse tempo, Belinha engravidou de novo. Julgando-se traído, Leo Vikar insultou-a atrozmente, quase a matando de pancada e expulsou-a de casa, sem esperar a *délivrance*. Dias depois, arrependido, pediu-lhe que voltasse para a sua companhia. Afinal, teria ele refletido consigo mesmo, os meios anticonceptivos não são totalmente infalíveis e o método que empregara podia muito bem ter falhado uma vez em cinco anos. Era seu nascituro? Não era seu? Dolorosa interrogação, trágica dúvida. E não só para aquela como para todas as paternidades: *mater certa, pater semper incertus*. Veio ao mundo a criança: Leo Vikar correu a ver se reconhecia naquela posta de carne informe alguns traços que pudessem confirmar ou dissipar as suas suspeitas.

Mas nada, nem nos olhos se descobria qualquer indício. Os olhinhos do recém-nascido eram escuros, como os da mãe; fossem claros e teriam saído aos do pai.

Referia-se Belinha, no que acabava de me dizer, ao filho presuntivo do estafeta Chico Bento. Eu bem que o sabia e a história era conhecida de muita gente. O povo julga-se bastante apto para investigar certas paternidades. No caso do caçula de Leo Vikar, o povo dos Taboões acreditava não andar enganado. Reparando nas feições diferentes do garoto, murmuravam os maldizentes moradores daquela localidade. "É a cara do Chico Bento!"

Disse-lho. Ela fingiu-se agastada:

— Lá vem você com o filho do Chico Bento!

De qualquer maneira, um filho a mais em casa era um acontecimento desagradável. Precisavam acautelar-se melhor, para o futuro. O controle neo-maltusiano foi pois daí por diante o mais rigoroso possível. Três anos haviam decorrido depois disso. E agora...

— Eu estava tão impressionada, tão aflita, que não tive sossego em casa. Saí para a rua, meio desorientada, tomei o carro do Pechincha e vim procurar-te.

— E eu? Se visses como fiquei quando ele bateu à porta de minha casa levando o teu recado misterioso! Quase tive um acesso de congestão cerebral... Palavra!

— Perdoa, sim? Eu estava sobre brasas. Precisava de te ver, de me aconselhar contigo, imediatamente.

Que conselhos poderia eu dar-lhe? Nada mais faltava para a nossa perdição. Um filho, neste momento e em tais circunstâncias, só poderia ser ilegítimo, e Leo Vikar logo saberia quem era o pai da criança. Que entaladela!

Eu estava contrariadíssimo, mas procurei tranquilizar Belinha, abraçando-a, beijando-a e dizendo-lhe que tudo se arranjaria bem, afinal de contas. Passei-lhe a mão pelo ventre macio e tépido, fonte inestancável de voluptuosos desvairamentos. Fôramos imprudentes, e o resultado já se anunciava. Ali, naquele ventre, que era a sua glória e a minha ventura, gerava-se um filho adulterino para denunciar-nos e desgraçar-nos a mim e a ela. Cabia-me a maior culpa. Era obra minha, o embrião indesejável.

16. UM FETICÍDIO.

15 de Setembro.

Logo que acabamos de lhe referir o nosso caso, o doutor Juvenato Caldas examinou Belinha e, tendo confirmado a realidade daquilo que tanto temíamos, voltou-se para mim e disse em tom sério mas afável, com um leve acento de ironia:

— É sempre assim. Sempre. Nós brasileiros não sabemos disciplinar os nossos impulsos amorosos. Amamos como irracionais. Somos incapazes de coibir-nos. As sábias práticas da procriação racional parece que não foram inventadas para a nossa gente, e o resultado da ignorância ou negligência de tais práticas é sempre esse: o recurso ao abortamento. Todos procedem nestas coisas com grande imprevidência e egoísmo. Vão amando sem prudência nem cuidados, descontroladamente. Depois, se o filho estorva, as mulheres que abortem, seja lá como for, até mesmo com perigo da própria vida, como acontece tantas vezes...

— Mas não é este o caso... acudi, assustado. Não há perigo ainda, pois não?

— Perigo, ainda não há. Mas, mesmo assim, não serei eu quem aconselhe o abortamento. Os meios anticoncepcionais são legítimos; humanos e justificáveis, em muitos casos. Porém o aborto provocado, lembre-se bem, é crime. Só nos raros casos em que a vida materna está em jogo é que se aconselha o abortamento terapêutico. Fora daí é crime punido por lei. É um feticídio.

E acentuou:

— Um feticídio! Tanto vale dizer: um atentado contra a vida humana. Pensa, talvez, que feto não é gente?

Dissuadi-o dessa ideia, redarguindo que respeitava muito a vida humana, mesmo em estado de ovo ou embrião. Tratava-se porém de evitar dano muito maior. Duas vidas adultas, relativamente preciosas, a minha e a de Belinha, estariam gravemente comprometidas, caso o feto incômodo não fosse destruído enquanto era tempo, isto é, enquanto não dava sinais positivos de existência.

O parteiro afastou de nós o olhar e, levando a mão aos óculos de grossos vidros brancos, tirou-os e pôs-se a limpá-los vagarosamente com o seu lenço de seda, sem articular palavra. A cabeça voltada para um lado, os olhos fitos no chão, parecia meditar, irresoluto, como se vacilasse na resposta que nos devia dar.

Eu observava-o, também em silêncio. Com a Belinha, que se achava ainda semi-despida em cima da mesa de exames, troquei um olhar de entendimento, como a dizer-lhe: “Ele que não venha-para cima de nós com lérias de escrúpulos profissionais ou arengas de deontologia médica”. Ela mostrou haver compreendido, por um piscar de seus olhos maliciosos, que, voltados logo com intenção zombeteira para a cabeça piriforme e escalvada do doutor Juvenato, pareciam exclamar: “Bem que te conhecemos, *faiseur d'anges*!”

Arranquei-o da meditação em que mergulhara:

— Não acha preferível cometer um feticídio a provocar dois homicídios?

O doutor repôs os óculos na ossuda narigueta e voltou a mostrar-nos um rosto favorável, vincado nas comissuras dos lábios por um sorriso bonachão. Ao Sorrir, exibia na boca escancarada os longos dentes de roedor, descamados nas gengivas e já meio expulsos dos alvéolos.

— Compreendo a alternativa, disse ele. Trata-se de evitar mal maior. E o mal maior neste caso, como em tantos outros, são as parteiras especialistas em abortos.

— Iremos a uma dessas parteiras, se o senhor não quiser ou não puder ajudar-nos, disse eu.

— O aperto em que se acham é grande, bem sei. Não recusarei, por esse motivo, os serviços que me pedem, tanto mais que não há perigo em prestá-los. Nenhum colega meu os recusaria.

E acrescentou, sempre a sorrir:

— Muitos obstetras tiram dessas intervenções o principal rendimento de suas clínicas, verdadeiros abortórios. É uma indústria muito rendosa, sabe?

E era aquele abortador profissional, que prosperava como os outros no ofício de dilatar, raspar e dessecar entranhas femininas, quem aludia descaradamente, diante de mim, a tais práticas delituosas!

— Não os censuro, continuou. A matemidade deve ser voluntária.

— Como já é na Rússia, não é isso? disse eu. Lá, segundo li, há clínicas públicas onde as mulheres abortam de acordo com as regras da arte, sem risco para a saúde ou a vida da gestante. A legislação bolchevista, neste ponto, é humanitária e avançada.

— Sim, mas é legislação que não convém a um país como o nosso. Por motivos demográficos, unicamente. Precisamos de incrementar a população. Precisamos de gente, muita gente, que povoe o nosso território, imenso, desabitado. Mas, do ponto de vista exclusivamente individual, não me repugna a provocação do aborto.

Belinha perguntou se eram penosas as manobras abortivas a que tinha de sujeitar-se.

O parteiro tranquilizou-a, assegurando que eram simples e pouco incômodas. Em duas ou três seções tudo estaria feito. Uma coisa simplíssima.

Eu é que continuei apreensivo. E se sobreviesse uma infecção, uma metrite? Aquele fazedor de anjos não me inspirava muita confiança. O que ele queria, dizia eu em mim, era ganhar com facilidade o meu dinheiro.

Tremo por Belinha. Gosto muito dela, gosto mais do que nunca. Porém tudo o que nos acontece, todos estes aborrecimentos que se sucedem uns aos outros, são para mim motivos de excessiva preocupação e exagerado temor, que me tiram o sono e consomem a paciência.

E só vejo uma saída: é forçoso acabar com isto, seja lá como for.

17. ADEUS, BELINHA!

19 de Setembro.

Tomei, finalmente, a resolução de romper. De romper abruptamente. Esperei que Belinha se livrasse das manobras abortivas do doutor Juvenato.

"É hoje", disse comigo, esta manhã, ao levantar-me. E com esse pensamento, me ergui num atroz estado de espírito. "É hoje", ruminava eu, assaltado cedo por um enorme desejo de chorar. Sentia-me triste como uma criança infeliz. Precisava de soluçar muito e debulhar-me em pranto, até aliviar o excesso da carga emotiva que me pesava como chumbo no coração.

Onde poderia eu chorar assim? Tive, primeiro, a ideia de me embrenhar no mato, longe da cidade, para desabafar à vontade, sem constrangimentos, todo o pesar que me acabrunhava a alma. Precisava da solidão, para soluçar alto, para gritar, para berrar o meu tormento e expeli-lo em ganidos, em uivos, em urros tremendos. Depois lembrei-me do cemitério. Não há lugar melhor para desoprimir o peito com inteira liberdade. Se acaso alguém nos vê, pensará simplesmente que estamos a prantear algum morto querido.

Bati para o cemitério. Lá, junto ao jazigo de meus pais, chorei torrencialmente, verti abundantíssimas lágrimas, descomprimi a congestionada e dorida sensibilidade.

Pouco depois, fazendo das tripas coração, fui encontrar-me com Belinha. Levei-a no automóvel do Pechincha até ao Parque Municipal e falei-lhe do meu propósito de não tornar a vê-la. Deixáramos o motorista a esperar por nós com o seu carro num recanto do Parque e seguíamos lentamente por uma alameda bordada de grandes paineiras.

Belinha não achava possível o rompimento. Seria uma longa, inútil agonia. Teria eu ânimo para deixá-la e força para esquecê-la? A ruptura exigia um sacrifício muito acima de nosso poder. Entretanto, como era para a minha felicidade, declarou-se pronta a separar-se de mim. Mostrou-se corajosa, prometendo tudo fazer, daí em diante, para não se avistar comigo. Chorou baixinho, procurando sufocar a sua grande pena.

Disse-lhe adeus, já ao pé do carro do Pechincha. Ela portou-se com estoicismo: não me reteve, não fez nenhuma cena, não proferiu palavras inúteis, nem correu atrás de mim. Era mais forte do que eu, ou era tudo altivez?

Bem fizera eu em ter escolhido aquele lugar para a nossa última entrevista. Se estivéssemos na casa da Durvalina, onde sempre nos víamos, era mais que provável, era quase certo que ela não me deixaria partir com tanta facilidade. Lançar-se-ia em meus braços e, com o calor e a veemência dos seus beijos, abateria a minha frágil vontade, até que, derrotado diante do desejo, eu a possuísse num ímpeto irrefreável de atração física, exacerbada pela ideia crudelíssima de nos perdermos um para o outro. Separamo-nos. Belinha lá se foi, banhada em pranto, no auto do Pechincha. Ao aproximar-se de sua casa, tilou do pescoço uma medalhinha da Virgem, toda de ouro, benzida pelo virtuoso Monsenhor Horta, de Mariana, e como lembrança ao motorista que tantas vezes testemunhara a nossa felicidade. Foi o próprio Pechincha que me contou, algumas horas depois, a pequena cena que o deixara comovido.

Mal Belinha se afastou de mim, senti o quanto me pesaria a sua ausência. Eu bem que o sabia: é impossível, absolutamente impossível varrê-la da lembrança. Para que teimar, então? De que me vale evitar-lhe a presença física, se ela permanecerá viva na minha imaginação, atuando no meu pensamento com a tenacidade roaz das ideias fixas?

18. TÃO SIMPLES, UM TIRO...

26 de Setembro.

Faz hoje uma semana que não vejo Belinha. Não sei como pude suportar tanto tempo a sua falta. A ansiedade interior, a agonia da solidão, a fome e sede de seus beijos, fazem-me padecer horrivelmente. Como livrar-me deste sofrimento que me torna a existência insuportável? Só enxergava um remédio: o suicídio. Esta ideia andou a fascinar-me como um asilo de absoluto repouso. Figurava a morte como um imenso vidro de veronal, heroico sedativo dos meus tormentos, poderoso hipnótico que me sumiria num sono eterno e sem sonhos.

Com estes fúnebres pensamentos na cabeça, senti-me atraído, ao passar em certa rua, por uma casa de armas de fogo. Pela primeira vez parei diante duma vitrina a contemplar com interesse espingardas e petrechos de caça, clavinas americanas, escopetas alemãs, garruchas de fogo central, pistolas de combate e de repetição automática, assim como revólveres de variados sistemas, calibres e feitios. E eu que nunca manejara nenhuma daquelas armas de destruição! Nunca em minha vida disparara um revólver. Quedei-me longo tempo a namorar os belos instrumentos mortíferos, a flirtar com os Brownings, os Colts, os Mausers, os Smiths, grandes abreviadores de misérias físicas e sofrimentos morais, incomparáveis libertadores de almas aflitas.

Tornei a passar em frente daquela casa no dia seguinte e também no outro. Da terceira vez criei coragem e entrei. Pedi que me deixassem examinar um esplêndido Smith and Wesson que me chamara particularmente a atenção. Examinei-o com absoluta serenidade. Maravilhosa maquinazinha! Bastava aplicá-la bem juntinho do ouvido, apertar ligeiramente o gatilho e detonar uma cápsula, para se alcançar a quietude absoluta. Morte fácil, instantânea e sem dor. Morte boa. Extingue-se a vida como a luz duma lâmpada elétrica à simples pressão do comutador. Tenho horror a todo padecimento físico, a toda molétia corporal. Porém um tiro no ouvido não faz sofrer. Tão simples, um tiro! Causará talvez certa impressão desagradável, mas passará com a rapidez do relâmpago. Menos desagradável, em todo o caso, que um simples purgante de sal amargo.

— Quanto custa? perguntei, acariciando o cabo de madrepérola da bonita arma.

— Trezentos e cinquenta mil réis.

Não disse nada, mas achei caro. Caro para mim. Para outros, talvez não fosse. Não duvidava que um revólver como aquele pudesse ter grande servidão e valesse por conseguinte o que pediam por ele. Mas não para mim, que só precisava de usá-lo uma vez.

— Quer experimentá-lo? perguntou o armeiro, pedindo-me licença para carregar o revólver que eu conservava nas mãos.

E crescentou, solícito:

— Temos aqui atrás, numa área própria, um alvo de tiro onde o senhor poderá fazer uns disparos.

Senti um calefrio percorrer-me a espinha. Instantaneamente, emergira à flor de minha memória a recordação dum fato ocorrido não havia muito tempo e que chegara ao meu conhecimento através do noticiário da imprensa. Um homem entrara naquela mesma casa em busca dum revólver e, tendo-se dirigido aos fundos do estabelecimento para experimentá-lo, matara-se na tal área estourando os miolos com uma bala. O fato causara certa sensação, e eu reconhecia agora que o suicida se revelara homem resoluto e, acima de tudo, prático no aproveitar-se das circunstâncias do momento, em verdade as mais favoráveis ao fim que tinha em vista. Matara-se numa casa de armas, servindo-se dum revólver de prova e uma bala grátis. Fora realmente uma ideia luminosa.

Semelhante lembrança não poderia ter brotado em meu cérebro mais a propósito. O caso oferecia uma perfeita lição de coragem e, de par com ela, um admirável exemplo a seguir, indicado sobretudo para mim que vacilava em gastar trezentos e cinquenta mil réis com o meu suicídio.

Carregado o tambor do revólver com as suas seis balas, o armeiro tornou a entregar-mo, insistindo com amabilidade:

— Pode agora dar uns tiros. Tenha a bondade...

Chamou um rapazinho e disse-lhe que me guiasse até aos fundos da casa e me mostrasse o alvo.

Nem forças tive para receber a arma. Sou um poltrão. Fiquei sufocado de terror, a espinha gelada, o coração a pular-me na garganta, só em pensar que dentro de breves segundos eu poderia jazer estirado na área fatídica, com o crânio aberto, os miolos esparrinhados e o sangue a marejar duma horrenda ferida. Não, eu jamais teria o ânimo de me matar ali, com a calma resolução do outro.

Gaguejei uma desculpa e pus-me na rua, estonteado como se houvesse recebido uma pancada forte na cabeça.

Não abandonei porém a ideia de me suicidar. A coragem viria outra hora. Viria mesmo? Enquanto não criava coragem, imaginava eu, bom seria que me acometesse alguma doença bem grave, uma enfermidade mortal. Fora esse o desejo que eu formulara ao sentir uma pontada no lado direito do ventre. Situei o ponto doloroso quatro dedos acima da espinha ilíaca anterior e superior. "Será uma apendicite, meu Deus?" pensei, com alegria. Ah, que se fosse uma apendicite, eu teria de ser operado e, como era infinitamente provável, morreria na mesa de operações! Abençoada e oportuna apendicite!

Mas não era nada. Nada, por infelicidade minha. Está escrito que nunca se realizem os nossos mais acalentados desejos.

Ainda naquele dia, passando casualmente por uma loja de ferro-velho, entrei e detive-me a examinar com fingida curiosidade umas velhas vitrolas que ali se achavam a venda, em meio dum conglomerado de cacarecos dos mais diversos usos. Enquanto eu conversava com o dono daqueles arruinados trastes, um judeu palreiro que me queria impingir como bom um arcaico e totalmente afônico gramofone de cor verde e campana em forma de túlipa, dei com os olhos no objeto que me interessava: um grande revólver que parecia novo. Preço: cento e cinquenta mil réis. Comprei-o logo sem ratinhar e meti-o no bolso, satisfeito da minha compra. Andei com ele dois dias, a mirá-lo e afagá-lo de instante a instante. Se o meu tormento se agravasse, estava ali o remédio, o grande lenitivo; era só dar ao gatilho: plaf.

O tormento agravou-se, mas não tive forças para suicidar-me. Por sorte minha, encontrei um conhecido que precisava dum revólver. Vendi-lhe o meu, quase por nada. Se lho desse de presente, ainda teria feito bom negócio. Uf! com armas de fogo nunca é bom brincar.

19. CAPITULAÇÃO.

30 de Setembro.

Aguentei assim quase doze dias. A ideia de matar-me ajudara-me a suportar aqueles dias maus. Mas, uma vez abandonado o pensamento do suicídio, não pude mais; imaginava perder o juízo, tamanho era o meu tormento. E Belinha devia também sofrer muito, pensava

Capitulei. Para que teimar? Toda resistência parecia-me vã. Porque havíamos de sofrer os dois, se nos amávamos tanto e podíamos ser felizes? Refleti comigo: nosso amor é uma chama que tem ainda muito que arder e necessita de arder. Deixá-lo pois queimar-se até o fim, até que se consuma a si mesmo e se extinga, reduzido a cinzas. O remédio para tão violenta paixão era transformá-la num sentimento banal, tranquilo, sem importância.

Mal fiz esta reflexão, apressei-me em avisar Belinha para que fosse ter comigo no lugar onde nos encontrávamos sempre. À hora do costume, lá se achava ela na casa da Durvalina, aguardando com impaciência a minha chegada. Nem um momento vacilara em ir ao meu encontro, em atender docilmente ao meu chamado. Estava pelo que eu quisesse.

— Você portou-se como uma criança caprichosa, disse-me, satisfeita e feliz, enrodilhando-se no meu colo.

Repreendeu-me carinhosamente pela minha crueldade. Eu fora excessivamente duro para com ela, teimando em não querer vê-la tantos dias, e mais duro ainda comigo mesmo, privando-me voluntariamente de sua presença.

— Você, Sezino, amuou-se contra o próprio ventre e fez a greve da fome.

Era verdade. Eu tentara a greve da fome, porém a interrompera ainda a tempo de não morrer de inanição. Ali estava eu de novo junto dela, famélico de seu corpo, derrotado, rendido, mas não entristecido nem envergonhado da minha derrota.

Capitulava, sim, e com que júbilo!

Falei-lhe da nova tática que daí por diante adotaríamos. Como eu não achasse possível viver sem os seus beijos, de que estava tão faminto, tudo faria para tê-la sempre ao pé de mim, sem estorvos nem aborrecimentos. Amar-nos-íamos livremente, aos olhos de todos, sem nos escondermos. Alijaríamos de nós toda a carga molesta dos contrapesos sociais. Não daríamos satisfações a ninguém. Procederíamos com a máxima imprudência, isto é, como criaturas em estado natural, não deformadas pelos preconceitos que a vida em sociedade impõe.

— Tudo correrá sobre rodas, afirmei, com grande convicção.

— Sim, mas... e o monstro? acudiu ela referindo-se ao esposo. Um marido atrapalha sempre, mesmo que se chame Leo Vikar.

— Daremos um jeitinho para que não atrapalhe muito, disse eu. O jeito consistirá no seguinte: eu travarei relações íntimas com Leo Vikar, visto que a maneira mais cômoda de se trair um marido é captar-lhe a confiança e a amizade. Levá-lo-ei com a Belinha a minha casa, para apresentá-los às pessoas de minha família. Ficaremos todos amigos. Ricardina gostará logo da mulher de Leo Vikar. Este simpatizará instantaneamente comigo e achará grande prazer na minha companhia. Assim acontecerá, com toda a probabilidade.

Belinha, que não tem aquilo que os psicanalistas como o doutor Benfica chamam *censura*, achou ótimo o plano. Eu, que ando igualmente com os freios morais muito relaxados, também o achei bom e fácil de por em prática.

Não há outra solução. De acordo com o velho preceito médico: *primo non nocere*, eu renunciarei a toda intervenção violenta, abortiva, que mais depressa dá cabo do doente que dá doença. Deixarei à natureza a liberdade de obrar com a sua poderosa força medicadora. Não contrariada, trivializada, facilitada, a minha paixão, que já atingiu o acume da violência, declinará pouco a pouco, até o seu completo desvanecimento.

Disse isto mesmo a Belinha, lembrando-lhe as palavras que ouvira do doutor Benfica: "Vá amando, vá amando. Farte-se. Quando menos esperar, estará enfastiado..."

Ela protestou, ofendida. Ah! era isso o que eu desejava? A saciedade? o fastio? Com que então eu acalentava a esperança de enfastiar-me de seu amor, e quanto mais depressa, melhor? Pois ela, não; ela queria amar-me etemamente, e o infinito ainda lhe parecia pouco.

Apaziguei-a como pude. Dei-lhe razão. Os homens, nestas coisas, são sempre fracos e covardes, procedem com uma inferioridade de caráter que os coloca cem léguas abaixo das mulheres.

20. LEI DE CONSTÂNCIA ADULTERINA.

11 de Novembro

Saiu tudo ao contrário do que eu esperava. Ao cabo de poucos dias voltei a sentir-me triste, inquieto, ansioso, até mesmo junto dela. Desapareceu a euforia que a sua simples presença me comunicava aos sentidos. Quando não a tenho perto de mim, sofro como se a houvesse perdido. Quando está a meu lado, é como se ainda me faltasse. Ponho em dúvida a afeição que diz sentir por mim e de que me dá contínuas provas. Duvido, e confesso-lhe a minha dúvida.

Ela me diz, no intervalo dos beijes dados e recebidos:

— Queres fazer-te infeliz por excesso de felicidade. Olha-me bem e vê se tenho cara de não te amar.

— Sim, creio que me amas.

— Crês? Não tens então certeza?

— Sei lá! Como posso saber o que se passa no teu íntimo? Por momentos eu tenho a certeza, mas daí a pouco me aflige novamente o temor de perder-te.

De repente — e já tardava — entrou-me a peste do ciúme, começou a visitar-me o clássico "monstro de olhos verdes". Verdes? Ao princípio, os olhos do monstro eram talvez desta cor sofisticada; porém só ao princípio, porque logo adquiriram uma coloração inequívoca, ameaçadora, trocando-se em cor de sangue encarniçados. São ciúmes terríveis, de criminoso passional, os que eu sinto. Imagino deslealdades, farejo traições; vejo Belinha, como numa alucinação, entregando-se depravadamente a outros homens diante de meus olhos. Tomo-lhe o cheiro, olfateio-lhe o seio, a cabeça, o pescoço, as axilas, a ver se, de mistura com seu odor particular noto algum aroma estranho, o bafo de outro homem. Mas só sinto o seu cheiro próprio, o odor específico de sua carne, tão excitante para mim, que logo me sobe à cabeça e exalta os sentidos. Chego a ter medo de mim e a recear pela vida de minha amante. "Sou capaz de a matar!" digo de mim para mim, a ruminar pensamentos homicidas. "Mato! ainda acabo matando-a e ao rival com que ela me trair!"

Procuro intimidá-la com ameaças. Quero convencê-la, com argumentos ridículos, que lhe é permitido ser infiel ao marido, mas não a mim, seu amante. Exprobo-lhe a libertinagem, a lubricidade com que caça homens.

Todas as mulheres, lhe digo, têm direito ao amor, todas sem exceção, e as que não encontram no casamento a felicidade almejada e tomam um amante, podem justificar-se a nossos olhos. Porém se, conservando o marido e o amante, tentam novas aventuras, então o caso muda de figura: perdem o direito a qualquer desculpa, equiparam-se às mulheres perdidas, às que se vendem.

Ela retruca, algo picada:

— Que motivo tens para me falares assim? Entrego-me por amor. Só engano o outro. Podes ler no meu coração. Bem sabes que o mundo para mim se resume nisto: um marido que detesto e tu, meu amante, meu único amor...

E diz-me que, para não dar o mínimo pretexto às minhas ciumeiras, foge de falar a outros homens, evitando-os o quanto pode. Anda às carreiras, de sua casa para o grupo escolar e daqui para acolá, sem se deter muito tempo na rua, e, chegada a hora, trata de ir diretamente para o nosso pouso.

Mas nem por isso é menor a minha desconfiança. Ela não é amante para um só amador. Pode lá alguém confiar na fidelidade duma tal mulher? Só quem a não conheça.

Belinha veio ao mundo carregada de eletricidade sexual. Tudo nela, desde o nascimento, parecia destiná-la, por força talvez dum determinismo glandular, a uma carreira amorosa fora do comum.

Ela não foi fiel ao marido, não foi fiel a nenhum de seus amantes. Por que havia de sê-lo a mim? Não é uma dessas fêmeas domésticas que possuem a faculdade de se acomodarem a seu ninho. Extravagante e aventurosa, audaz e cínica, está pronta, sempre, a ceder aos impulsos de seus temperamento volúvel e exigente. Trai em obediência à realidade material de sua natureza ardente; trai sob a pressão duma espécie de lei de constância adulterina.

Seria ingenuidade de minha parte, oh! muita ingenuidade, imaginar que a fatalidde de semelhante lei pudesse romper-se pela primeira vez a meu favor. Mas — e aqui me vinham à lembrança as palavras de Belinha — os homens são exigentes e pedem às vezes o impossível.

Diz-se que o homem é infiel por sensualidade e a mulher por curiosidade. Belinha é infiel por sensualidade, por curiosidade, por capricho, por depravação moral, por cálculo, por condescendência; enfim porque o entregar-se aos homens lhe parece agradável e fácil — e não tira pedaço.

21. O SINAL DO DIABO.

Sem data.

Ao contrário da mulher honrada, que em regra vive sem história, Belinha tem muitas histórias na sua vida. É ela própria quem as refere, contando-me hoje uma, amanhã outra. Certas histórias lacunosas, ou as que ela omite de propósito, eu completo-as depois com o depoimento de pessoas que a conhecem desde pequenina e estão a par de toda a sua vida. Por esta forma vou reconstituindo pouco a pouco, com todos os contornos e pormenores, a crônica erótica da mulher de Leo Vikar. Seguir-lhe as peripécias, desde o despertar da puberdade até o momento em que a conheci, parece-me, e é na realidade, o mais entretido, movimentado e surpreendente romance de aventuras sexuais.

Sua mãe, filha dum pequeno comerciante de Ouro Preto, casara cedo com um procurador de partes, moço tuberculoso que a deixara viúva poucos meses depois de ela ter dado à luz Belinha, fruto único dessa união. Passados alguns anos, convolara a segundas núpcias com um modesto professor de matemáticas elementares, homem maduro e de maus nervos, cujo natural azedo e implicante infernava a existência da esposa e tornava-o detestável aos olhos da enteada.

Tinha a menina nove anos quando perdeu a mãe, consumida de desgostos, segundo a opinião dos vizinhos, morta em consequência duma lesão cardíaca, consoante rezava o atestado de óbito. Nessa idade, rebelando-se contra a educação austera que o padrasto caturra lhe queria impor, Belinha tentou fugir de casa pela primeira vez. Aos doze, conseguiu evadir-se, indo ter a pé, sozinha, a um sítio das vizinhanças de Ouro Preto, onde buscou refúgio na fazenda dum tio materno. Recambiada para a casa do padrasto, foi por ele internada num colégio de meninas, dirigido por Irmãs religiosas, mas lá permaneceu pouco tempo, porque as Irmãs, incapazes de domar a sua turbulência, não a quiseram mais como aluna.

Aos quatorze, era uma adolescente muito bonitinha que toda a cidade conhecia. Quando a viam passar pela rua de São José, os estudantes paravam e voltavam-se para admirá-la.

— Boa pequena, heim?

— É a Belinha.

Alguns gabavam-se de a ter beijocado na ponte do Xavier ou no adro da igreja de São Francisco de Paula.

Levadinha da breca, viva, namoradeira, amava a companhia de rapazes estouvados, que ela dominava por sua vontade muito acentuada e seus modos despachados e salientes. Por essa ocasião, viu-se envolvida num acidente que consternou e ao mesmo tempo escandalizou a pacata população ouropretana. Foi o caso que, indo ela tomar banho com alguns companheiros, às escondidas, na lagoa do Gambá, desafiou um deles, que era seu namorado, para verem qual dos dois nadava mais longe e melhor. Aceito o desafio, atiraram-se os dois à água com gritos e risos de alegria e afastaram-se a nado. Já bem adentro da lagoa, nadando ambos par a par, o rapaz tentou abraçá-la, mas ela o repeliu, agarrando-o pelo pescoço e forçando-o a mergulhar várias vezes. Livrou-se dele e voltou a rápidas braçadas para a margem, toda esbaforida. Tendo perdido o fôlego, atarantado e incapaz de recobrar o tino, o rapaz gritou que lhe acudissem, debatendo-se no meio das águas, até que, exausto de forças, afundou para não mais voltar à tona, sem que os companheiros pudessem socorrê-lo a tempo.

O fato impressionou vivamente a opinião da cidade, e desde então, nas conversas de comadres, Belinha foi apontada como uma dessas mulheres sobre as quais se reconhece o sinal do Diabo e que, de toda a eternidade, são predestinadas a influir de maneira funesta na existência dos homens.

Algum tempo depois, um jovem estudante, pouco mais idoso que ela, escreveu-lhe uma carta fogosa, inçada de hipérboles apaixonadas. Antes de a remeter, leu-a para os companheiros de "república", aos quais assegurou, num rasgo de fanfarrice próprio de sua pouca idade, que a missiva amorosa teria resposta imediata. Tão afiuzado estava de si próprio, que prometeu pagar, logo viesse a resposta favorável, uma caixa de cerveja para festejarem o acontecimento. Filho mimado de gente rica, tinha uma boa mesada que lhe permitia gastar com liberalidade.

O rapaz incumbido de levar a carta contou a Belinha o que o missivista prometera aos companheiros, em regozijo do seu triunfo, que contava como certo.

— Deixa estar o prosa, que já lhe dou a resposta que merece, disse ela, imaginando uma punição para o namorado presunçoso e gabarola.

Rabiscou a lápis, rapidamente, duas ou três laudas de papel de bloco, meteu-as num sobrescrito e, entregando-o ao portador, recomendou:

— Você mostrará esta carta com a minha letra e assinatura; mas ele não a deve ler enquanto não pagar a cerveja. Só depois, ouviu? Só depois.

Assim fez o jovem mensageiro. Mandada vir a cerveja e abertas imediatamente algumas garrafas, foi a carta dada ao destinatário, que a leu em voz alta diante de todos. A menina retrucara em termos escarninhos: zombara da ortografia e sintaxe do moço, apontara erros crassos de linguagem e mofara-se da sua declaração de amor. Os outros gozaram a coisa e, excitados pelas libações de cerveja, debicaram cruelmente o namorado sem ventura. Uma troça sem piedade, como costumam fazê-la os rapazes. A carta foi pregada numa das paredes da "república", em lugar onde todos podiam ler.

Corrido de vergonha, ferido no mais fundo de seu coração, o estudante envenenou-se com sublimado corrosivo. Antes de morrer, pediu encarecidamente que a mandassem chamar.

A moça foi vê-lo, às ocultas de sua família. Em presença do suicida, transida pelo espetáculo do adolescente em agonia, ouviu-o balbuciar:

— Belinha... Belinha... Beli...

Andava ela beirando os seus dezoito anos, quando deu volta à cabeça dum estudante de engenharia, Tilho de importante famflia do lugar. O rapaz, ainda menor, queria fazê-la sua esposa, porém os pais se opunham formalmente a tal união. Belinha, que nesse tempo adubava a natural rebeldia do espírito com a leitura de Vargas Vila e outros imoralistas de pacotilha, abandonou a companhia do padrasto e entregou-se livremente ao namorado, indo viver como sua amante na casinha que ele lhe arranjara. Fez tudo de caso pensado, por picardia aos pais do moço e por alardear indiferença ante os preconceitos da moral corrente, mostrando-se corajosa diante do labéu com que a sociedade pune àqueles que a desrespeitam, e também porque na realidade gostava muito do estudante. Dominava com facilidade o jovem amante, levando-o a cometer desatinos que causaram grandes aborrecimentos aos seus pais, os quais se viram obrigados a mandá-lo para Belo Horizonte, a fim de romper a abominada união e prosseguir normalmente seus estudos.

Aviltada perante a opinião, execrada pelo padrasto, privada da companhia e amparo do amante, Belinha foi pedir asilo ao tio materno em cuja fazenda se refugiara uma vez.

Lá conheceu um estrangeiro endinheirado, que andava, naquelas redondezas a pesquisar depósitos de manganês e tinha fama de aventureiro excêntrico e gastador. Era Leo Vikar, quarentão em boa forma, que a impressionou bem à primeira vista, parecendo-lhe inteligente, instruído e viajado, conhecedor dos homens e da vida e que a cativou principalmente por aquela aura de nomadismo que muito cedo o impelira a correr mundo e tornava interessantes as suas conversas.

Leo Vikar gostou logo de Belinha. Enchera-lhe o olho aquela rapariga esperta e alegre, pequena de corpo mas de carnação elástica, com dentes unidos, sólidos e claros numa boca fresca e cheirosa: uma boa potranca, sã, bem musculada, cheia de ardor.

Cobiçou-a para amante, quando soube dos seus antecedentes. Fez-lhe uma corte hábil, assídua e solícita. Conquistou-a afinal, não por seus engodos de experimentado amador de mulheres, mas porque lhe oferecia uma boa ocasião, talvez única, de romper um quadro demasiado estreito. Ficaria ali, na roça, encerrada toda a vida, sepultada no perímetro acanhado duma fazendola, ou diria "sim" à mensagem de libertação com que lhe acenava o acaso? Não havia que vacilar: seguiu o estrangeiro de bolsa bem recheada e sempre aberta, que lhe daria a existência de larguezas com que sempre sonhara.

Amasiaram-se e foram morar em Ouro Preto, onde Leo Vikar era muito conhecido como farrista dinheirudo e dissipador, pois ia lá frequentemente para se meter em grandes patuscadas.

Passado um ano casaram-se, por vontade do Húngaro, que. gostava dela e queria legalizar uma união que em breve lhe daria descendência.

Durante uns três anos Belinha foi-lhe afeiçoada e fiel. Leo Vikar, ao contrário, era um devasso que vivia de súcia com boêmios da sua marca e rameiras de ínfima qualidade, esbanjando o dinheiro em bródios e pifões. Traía a mulher às claras, sem fazer segredo e, por vezes, na própria casa, com as suas empregadas. Surpreendido certa vez em colóquio amoroso com uma doméstica de cor, Vikar ainda se irritou contra a esposa e a destratou, injuriando-a com cinismo e grosseria.

Cruelmente ofendida, humilhada, ela tentou contra a vida, golpeando o pulso com uma lâmina de barbear. Esvaía-se em sangue, no quarto, quando a filhinha acordou, chorando. A criada, entrando, viu a patroa desmaiada, exangue, e gritou por socorro.

Belinha esteve mal um mês. Depois disso, prevaricou. E desde então não deixou de prevaricar. Aquilo foi o início duma série exorbitante de infidelidades, a origem duma dízima periódica de adultérios.

22. LEO VIKAR.

23 de Dezembro.

Conversei com Leo Vikar. Foi Belinha quem nos apresentou um ao outro, ao acaso dum encontro na rua. Para selarmos o nosso conhecimento entramos os três num bar alemão, onde permanecemos mais de duas horas em torno duma mesa, enxugando chopes e comiscando batatas fritas.

Não sei ao certo se gostei ou não da cara dele. Se não foi de todo agradável, também não posso dizer que tenha sido desagradável a primeira impressão que me deixou a sua figura de varão no cerne, rijo e de boa estatura, um tanto resseco de carnes. Frisando pelos cinquenta e cinco ou cinquenta e seis anos, conserva ainda um aspecto vigoroso e esportivo, o busto aprumado, o pé sólido e o passo ginástico, militar. O rosto, longo e trigueiro com a barba feita e um bigodinho à Carlito, mostra-se ligeiramente tisnado pelo sol de nossos sertões. Vestia terno azul marinho, já muito usado, com a gola do paletó suja de caspa e engordurada do suor do pescoço. Faz-se notar à primeira vista pela urbanidade do trato; mas só à primeira vista, me disse Belinha, pois é com aquela superficial polidez de maneiras que ele ameniza um pouco o seu natural desabrido e arrogante. Causou-me admiração a facilidade e correção com que se expressa em nossa língua, se bem que a fale com acentuado sotaque estrangeiro.

Logo à terceira ou quarta rodada de chopes, ele nos deixou com as batatinhas e mandou vir porções suscessivas de salsichas e frios sortidos, que devastou com grande acompanhamento de salada de batatas, *pickles*, mostarda e pão de trigo e de centeio. Quando nos viu satisfeitos com o pouco que comêramos e bebêramos, fez troça do que chamou a nossa *dispepsia* de *brasileiros*. Ordenou que lhe servissem a cerveja em cangirões de meio litro, e começou a trautear o *Gaudeamus*, *igitur*, lembrado talvez dos seus tempos de estudante em Budapeste. Cantarolava a meia voz, balançando a cabeça e com os olhos num painel da parede, onde o pintor, alemão por certo, figura um grupo de frades ventrudos e rubicundos a emborcarem chopes e a erguerem alegres canções pantagruélicas em louvor de Gambrinus e da boa chira.

Belinha disse-me a sorrir, indicando o marido com um movimento de cabeça:

— Vê? A gula é o pecado capital do Leo.

Ele corrigiu, com sua voz de tenor um pouco nasalada, carregando nos *erres* finais e incapaz de pronunciar como nós o ditongo *ão*:

— Non! A gula, non. A luxúria. Sou guloso, non nego. Mas o meu grande pecado, você bem sabe qual é.

Fitou-a com um olhar brejeiro e soltou uma risada de sentido equívoco, que me soou aos ouvidos como a gargalhada procaz dum libertino. Parecendo adivinhar meu pensamento, disse:

— Perdon, senhor Sezino, non sou cínico, como talvez esteja pensando. Sou um homem que se refere sem hipocrisias ao seu verdadeiro temperamento. Devíamos dizer com toda a simplicidade: "Sou luxurioso, minha mulher é luxuriosa", como dizemos sem escândalo: "Sou guloso, minha mulher é gulosa".

Ponderei:

— Mas há uma hierarquia nos pecados. Perante o senso comum, a gula não é um pecado tão feio como a luxúria.

— E por quê? Non compreendo. Um é igual ao outro e na minha opinion nenhum dos dois é pecado.

— No sentido individual, talvez não sejam. Mas do ponto de vista moral e social, há razão para serem condenados. Não é justo que se coma além do necessário, quando tanta gente passa fome. Não é justo que se amem demasiadas mulheres quando as que existem não chegam para o consumo.

Ele concordou quanto à primeira parte, mas discordou quanto à segunda. Era certo que as subsistências não chegavam para alimentar toda a população do mundo. Mas, no que tocava às mulheres, o caso parecia-lhe diverso: havia grande fartura delas, e em alguns países eram, até, mais numerosas que os homens. Achava justificável, por isso, a poligamia. Se houvesse grande excesso de homens, seria o contrário; as mulheres praticariam a poliandria.

E rematou:

— Felizmente, temos mulheres de sobra.

— Temos, sim, respondi. Mas nem todas são boas para o amor. Aí é que bate o ponto.

Meu argumento pareceu impressioná-lo. Fez com a cabeça um gesto como de aprovação e abriu a boca para falar, porém ocupou-a imediatamente com duas fatias de mortadela que conservava enfiadas no garfo. Bebeu e, depois de chupar os beiços, enxugando-os um no outro, disse:

— Tem razon. Boas, boas para o amor, non existem muitas. E nós gostamos das ótimas, non é verdade, senhor Sezino?

Dizendo estas palavras, piscou o olho para mim e depois para Belinha, rindo com intenção picante, que nos constrangeu um pouco.

O que me desagradava nele francamente, sabia-o agora, eram os seus olhos azuis escuros, que faiscavam com reflexos metálicos através dos vidros das lunetas e se fixavam com dureza e frialdade naquilo que consideravam.

Estava vermelho como um tomate. Afluindo do coração sobrecarregado de trabalho pela excessiva ingestão de cerveja, o sangue afogueava-lhe as faces, que apresentavam vermelhidões no nariz e nos pómulos, sinal evidente de ácido úrico ou de uso inveterado do álcool, ou talvez efeito de ambas as coisas. Via-se que os prazeres da mesa e da cama ocupavam lugar importantíssimo na física e química de sua existência de homem maduro e sensual.

Outra grande necessidade sua, necessidade de homem civil, era a conversação. Bom conversador, Leo Vikar parecia achar satisfação nas próprias palavras que proferia. Falou muito, falou de tudo e de nada, e especialmente de si mesmo, tendo-me contado algumas das muitas aventuras que lhe haviam sucedido.

Notei que ele mostrara certo prazer em conversar comigo. Não porque simpatizasse com a minha pessoa, explicou-me Belinha, e sim por ser grande o seu apetite de conversação e achar em mim um interlocutor diferente e do mesmo nível mental.

Conversei com ele outras vezes. Numa delas, além de Belinha, achava-se presente minha mulher. Belinha queria conhecer Ricardina e eu prometera satisfazer-lhe esse desejo, que também era o meu. Combinei então com minha amante que nos encontraríamos os três, como por acaso, na Avenida, a uma certa hora. Minha mulher, ignorante de tudo, saiu comigo, acompanhada de dois pequenos, para umas compras que lembrei.

Às tantas, encontramos Belinha, que também não estava só. A seu lado, com surpresa minha, caminhava Leo Vikar, muito teso, com o passo lento e pausado. Pelo sorriso malicioso com que Belinha respondeu ao meu olhar interrogativo, vi que aquilo era arte sua. "Tanto melhor", disse comigo, "é exatamente o que desejo: o congraçamento das duas famílias, das minhas duas famílias".

Duas famílias, sim, porque eu já começara a tomar conta de Leo Vikar. Voluntária ou involuntariamente, mas sempre com discrição e tato, intrometia-me de cem maneiras nos seus assuntos privados. Belinha ouvia-me em tudo e devia-me não poucos serviços. Já antes de ser minha amante, ela me ficara a dever alguns. Tenho prestado favores também a Leo Vikar. Recomendado por mim, ele pôde fornecer alguns aparelhos de rádio à Secretaria da Instrução. Obtive para sua filha maior, que contará uns quinze anos, matrícula gratuita na Escola Normal Oficial. Sou o fiador e principal pagador da casa que eles atualmente ocupam no bairro de Santo Antônio, e por sinal que estão atrasados três meses com o pagamento e sou eu que tranqüilizo o senhorio. Além de outros favores miúdos.

Fiz as apresentações. Minha mulher já conhecia de nome tanto Belinha como Leo Vikar, a respeito dos quais eu lhe falara mais duma vez, fazendo boas ausências de ambos.

Leo Vikar, que não compreende a vida de sociedade senão à mesa duma *Bierhaus* e outros lugares onde se come e bebe, arrebatou-nos a todos, conduzindo-nos para um bar, onde ficamos uns momentos a palestrar amistosamente. Ricardina relutou um pouco, mas acabou sentando-se conosco, para tomar um refresco com os dois pequenos. O Húngaro aproveitou a emergência para se alcoolizar com fortes doses de *whisky*, enquanto eu e sua mulher nos contentávamos com alguns goles de *gin tonic*.

Belinha confessou-me depois, quando nos vimos a sós, que gostara muito de Ricardina.

— Ela tem um ar distinto, tão leal, tão digno, que me senti vexada diante dela.

Disse, e ajuntou, com um olhar sério:

— Fiquei com remorsos do mal que lhe estou causando.

— Involuntariamente, disse eu.

— Eu sei. Que culpa temos nós de gostarmos um do outro, não é isso? Mas o fato é que tive remorsos e fiquei envergonhada de mim mesma. E creio que no fundo da consciência lhe quis um pouquinho mal por causa disso.

Reproduziu para mim a conversa que ela tivera com o marido, logo que se despediram de nós. Leo Vikar não ocultara a boa impressão que lhe causara minha mulher. Ficara encantado com a nobre modéstia de sua presença, a singela dignidade de suas maneiras e a extraordinária louçania de seus trinta e quatro anos vividos.

É uma verdadeira senhora, dissera ele, manifestando a sua admiração. Uma senhora distintíssima. Tem raça!

E acrescentara:

— Vale mais, muito mais que o marido. E ele non sabe apreciá-la, sou capaz de jurarr que non sabe.

Perguntou se eu lhe era fiel. Belinha dera de ombros:

— Sei lá.

Encarando-a bem, ele dissera:

— Aposto que "seu" Sezino anda com mulheres inferiores, suja-se com amantes indignas de lavarem os pés da sua esposa.

Belinha teria respondido:

— É lá com ele. Só ele pode entrar no mérito dessa questão.

Leo Vikar insistira na conversa. Tinha a quase certeza de que eu era infiel, e na sua opinião as mulheres como Ricardina mereciam maridos fiéis, tão fiéis como costumam ser os Ciganos da Hungria. E explicara que entre os Ciganos de sua terra, que são os que melhor guardam as tradições da raça, o marido dado aos amores clandestinos é condenado a receber uma bala numa perna, tendo a mulher o direito de indicar o lugar em que há de levar o tiro.

Belinha replicara, a rir:

— Infelizmente é só lá entre os Ciganos, porque se adotássemos essa boa moral conjugal vocês homens andariam todos capengando.

E Leo Vikar, dando-lhe a tréplica, com um riso grosso:

— Antes capengar com um balázio numa perna do que andarr vergado, assim, sob o peso da chifralhada. E acompanhou estas palavras com adequada mímica, abaixando os ombros e a cabeça.

23. SE CIÚMES MATASSEM...

Sem data.

Se ciúmes matassem, e admitindo que Leo Vikar os tivesse de Belinha, já era para ele ter morrido há muitos anos. Mas ciúmes não matam, nem aleijam, e os homens habituam-se a tudo.

Saberá Leo Vikar que a mulher o trai, que sempre o traiu? Quero dizer: sabê-lo-á *com toda a certeza*? Sabe-o, sim, é impossível que o não saiba. Mas, até que ponto se saberá traído? E como suportará ele as infidelidades da mulher? Qual o *modus vivendi* expressamente convencionado ou tacitamente estabelecido entre os dois, com relação à conduta sexual de cada um? Estas e outras interrogações da minha curiosidade não tardarão certamente em ser respondidas, como espero e desejo. O marido de Belinha não é nenhuma esfinge, em seu gênero. Também não é nenhum coitadinho vulgar, do tipo do Mansueto Barroso. Acho-o muito mais interessante e merecedor de observação. Empenho-me em decifrá-lo, e isto por motivos óbvios, por ser o marido de minha amante.

— Creio que teu marido suspeita de nós, disse eu, um dia destes, a Belinha.

— Também creio, concordou ela.

— E não tem ciúmes? Será possível que aquele homem não tenha ciúmes?

Não era a primeira vez que eu lhe fazia esta pergunta. Agora, respondia-me com sinceridade:

— Não, nunca teve ciúmes. — Confia em ti?

Riu, fazendo um muchocho:

— Pelo contrário. Não tem a mínima confiança. Por isso mesmo vive sem se preocupar.

Compreendi. Belinha não o enganava, como não enganava a ninguém, porque a sua norma era enganar a todos. Aliás, que sentido poderia ter, aplicada àquela mulher, a palavra *enganar*?

Referiu-me um episódio da vida de ambos, ocorrido alguns anos depois de casados. Arruinado no negócio de cereais, Leo Vikar comprara nas proximidades de Ouro Preto, com o dinheirinho que lhe restava, uns matos onde abatia lenha para vender na cidade. O lugarejo em que fora habitar com a mulher teria quarenta ou cinquenta fogos e ficava distante da estrada de ferro uns três quilômetros. Leo Vikar ia muitas vezes a Ouro Preto no seu Ford artrítico e lá se metia em farras, só voltando no dia seguinte ou daí a dois ou três dias, na ressaca dos porres e sem dinheiro.

Belinha consolava-se da ausência do marido mandando recado ao seu mais recente amante, o telegrafista da estação próxima, para ir distraí-la e passar as noites com ela, nessas ocasiões.

Uma tarde, Leo Vikar regressou inesperadamente de Ouro Preto, trazendo no bolso uma carta anônima, recebida no correio daquela cidade e em que lhe era denunciado o procedimento adulterino da esposa. Estava presente uma mocinha da intimidade da casa, que ali fora passar uns dias na companhia de Belinha.

Com o semblante transtornado, mas forcejando por dominar os seus reflexos, Leo Vikar aproximou-se da mulher e, empunhando uma pistola Browning, disse com voz grave, a custo refreada:

— Belinha, você vai morrer. Mas antes, quero ler para você isto que me escreveram.

Mostrando-lhe a carta, ordenou, aparentemente calmo, sem mover um músculo da face congestionada pelo álcool e pela ira reconcentrada:

— Entre aqui para o quarto. Vamos!

Aterrorizada com a cena que presenciava, presa de grande agitação, a mocinha começou a gritar.

— Espere um momento, disse Belinha, também calma na aparência, dirigindo-se ao marido. A moça vai ter um desmaio. Traga um copo dágua. Depressa.

E para a moça, intimativamente:

— Acalme-se. Em minha casa não se faz escândalo.

Deu-lhe a beber a água que o marido trouxera e depois entrou com ele para o quarto. Leo Vikar fechou a porta e, sem largar mão da arma, leu a denúncia anônima. Era longa, completa e exata nos seus mínimos pormenores. Ao concluí-la, disse com voz firme e o cenho carregado:

— Agora você vai morrerr. Diga se é verdade o que está escrito nesse papel?

— É tudo verdade.

— Você dorme com o amante quando eu estou viajando?

— Já disse que a carta não mente. É inútil entrar em minúcias.

Leo Vikar afastou de Belinha o olhar carregado de ódio e pôs-se a cruzar o quarto a grandes pernadas, para cá e para lá, a cabeça baixa, as mãos unidas atrás das costas, apertando nervosamente a Browning.

Depois, tendo atirado a arma para cima da mesinha de cabeceira, parou em frente da mulher e encarou-a longamente, já sem rancor, com uma sombra de humildade no olhar:

— Eu devia matar você, mas non posso, disse ele movendo a cabeça, derrotado. Non posso. Infelizmente tenho loucura porr você. Sou louco. Louco!

E tomando a sua decisão:

— Vá para a casa de seu tio, ande. Arrume o que é seu e vá-se embora... Suma das minhas vistas!

Após curto silêncio, disse:

— Agora me dê o anel que eu dei a você, o anel de casamento. Você non é digna de continuar a usá-lo... Non é digna...

Sem dizer palavra, com os olhos enxutos, Belinha tirou a aliança do dedo e entregou-lha. Depois, resoluta, arrumava as suas coisas e aprestava-se para partir, quando o marido voltara ao pé dela para lhe pedir que não se fosse embora. Não poderia viver sem ela, confessou-lhe. Mas teria que abandonar aquele lugar. Ninguém ignorava ali as suas desventuras domésticas e ele não queria ser alvo das chufas e zombarias dos conhecidos. Evitaria aquelas humilhações. Fugiriam dali.

Vendeu os matos, com grande prejuízo, dando por cinco o que valia cinquenta, e disse então à mulher:

— Estamos na miséria. Vamos agora para longe, para o sul do Brasil. Você trabalhará e sofrerá comigo. É a minha vingança.

Eu perguntei, quando ela terminou:

— E ele devolveu a aliança de casamento? — Não. Nunca mais.

24. O CANAPÉ ESTOFADO.

6 de Janeiro de 1935.

Cesário Louro tem seu escritório de advocacia no oitavo andar do edifício Santa Cruz, casarão de cimento armado, em estilo *paquebot* e que realmente parece um grande transatlântico ancorado na parte mais central da cidade. O Cesário ocupa ali duas salas contíguas, que se comunicam por uma porta. Uma das salas é para receber os clientes e tratar de assuntos de sua profissão. A outra, mobilada com um grupo estofado, secretária, pequena estante envidraçada e um congoleum revestindo o soalho, destina-se unicamente aos seus amores de contrabando. Para não provocar desconfianças e despistar os bisbilhoteiros, figura à porta desta sala a placa dum colega, advogado sem causas, que se presta a ceder o nome para esse fim.

Todas as salas, ali, estão alugadas para consultórios médicos, gabinetes dentários, bancas de advogados, escritórios comerciais e de procuratórios, agências de companhias de seguros, sedes de empresas industriais, construtoras e outras. Centenas de pessoas circulam de manhã à noite, num tráfego contínuo, pelos elevadores e corredores do vasto prédio.

— Que ponto estratégico de primeira ordem você escolheu! exclamei quando ele me levou ao seu escritório.

Não se podia, realmente, imaginar melhor reduto para prear e acoitar mulheres.

Dirigíamo-nos conversando, para o elevador. Roçou por nós uma senhora jovem e bonita, muito bem posta no seu vestido de seda claro, o ar decente, o passo firme sobre os tacões Luís XV. Passou levípede, toc, toc, toc, banhada numa atmosfera fluida de brando e delicioso perfume. "Uma atmosfera de cantáridas", notou o Cesário, dilatando as narinas e fungando o ar como um bode. Seguiu-a com um extenso olhar e ficou de nariz espetado para a frente, até vê-la desaparecer um pouco adiante, num ângulo do corredor em que nos achávamos. Suspirou, de brincadeira: "Que boa!" Em seguida, voltando-se para mim, disse:

— Vê? Quem poderá dizer que aquela não estará daqui a pouquinho num canapé, aos beijos e abraços com o seu médico, o seu dentista, ou o seu advogado?

— Vejo, vejo. respondi. Vejo que isto aqui é um fojo de piratas!

Cesário ria.

— Há muitos escritórios neste edifício, disse ele. E, você sabe, todo escritório onde houver um sofá macio, um divã fofo, ou um canapé estofado, é uma alcova provável.

— Se é! Os consultórios médicos devem ser particularmente suspeitos...

— Fortemente suspeitos. Os de moléstias de senhoras, então, são suspeitíssimos.

Dei-lhe razão. Os consultórios médicos têm má fama. A ocasião faz o santo ou o pecador, e cada um desses consultórios, por motivos fáceis de compreender, é uma ocasião de pecado. Pais e maridos, muita atenção! Evitai a vossas esposas, se ainda são novas, ou a vossas filhas, se já são moças, toda ocasião de encontrarem a sós nesses lugares de possível perdição. Cuidado! Ainda que de escassos dotes varonis para a sedução erótica, qualquer esculápio, especialmente se for moço, é um violador de mulheres, por força das circunstâncias e porque a salacidade é inerente à natureza masculina.

Cesário Louro parece ter satisfação em ver aumentado o número de libertinos, a cuja corporação pertence com glória.

Num rasgo de cativante camaradagem, que muito me tem penhorado, cedeu-me uma das chaves da sala secreta. Do meio dia em diante posso entrar ali à hora que me aprouver. Fosse por espírito de corpo, ou pelo desejo de solidarizar-se com um de sua grei, ou, mais simplesmente, pelo prazer gratuito de me ser agradável, fez questão fechada que eu me servisse da saleta. É verdade que agora não precisa dela. Todo o seu tempo de folga dedica-o a uma rapariga que ele conheceu não há muito e para quem montou casa no bairro da Lagoinha. O Cesário sempre se julgou imunizado contra todo malefício amoroso; mas desta vez, não sei, não sei... creio que o feitiço virou contra o feiticeiro.

Fosse pelo que fosse, aceitei com entusiasmo a hospitalidade que em boa hora me ofereceu. Prestou-nos um servição. Naquela saleta podemos amar-nos com absoluta segurança e relativa comodidade. Ninguém nos descobrirá, estamos certos. Quem adivinhará que construímos o nosso ninho no oitavo andar do edifício Santa Cruz? Quem suspeitará que escondemos o nosso amor no meio de dezenas de escritórios, todos iguais?

É lá que Belinha vai ter agora. Lá passamos juntos o resto das tardes, destas tardes quentes de janeiro. Aberta de par em par a larga janela, divisa-se daquelas alturas, por cima do casario circundante, um vasto panorama em hemiciclo, que abrange metade da cidade, muito bonita no seu traçado geométrico, emergindo de imenso tabuleiro de verdura. Lavado pelas últimas chuvas, o arvoredo das ruas, jardins e quintais, empapado de umidade, poreja seiva, oxigena o ar. Entre quatro e cinco horas, a luz do sol, cambiante e tépida, ilumina as casas com o alegre resplendor que antecede o crepúsculo da tarde. Uma viração branda agita suavemente as cortinas brancas colocadas nas janelas duma habitação próxima, lá em baixo. Ao fundo, o céu, dum azul nítido, puríssimo, repousa o olhar.

Está-se bem, ali, palavra de honra. Minha ventura seria perfeita se eu pudesse amar Belinha com calma e não fosse o excessivo temor de ser descoberto por minha mulher. Perfeita seria também a ventura de Belinha, caso o marido não existisse. Mas existe, é uma desagradável realidade e, embora não estorve muito, seria melhor que não estorvasse nada.

Quando ele se ausenta da cidade, o que acontece com frequência, Belinha fica em minha companhia até às nove ou dez horas. Ali pelas seis e meia ou sete da tarde, deixo-a só, enquanto dou um pulo até a minha casa, para mostrar a cara à família. A essa hora esperam-me para o jantar. Às vezes, telefono dizendo que janto fora. Outras, vou até lá fazer simples ato de presença, pois ou não toco na comida, ou como muito pouco. Mal acaba o jantar — rua outra vez, rumo do nosso esconderijo, Belinha espera-me, fechada lá dentro (a chave levo-a comigo), a ler um romance, refestelada no canapé. Entrada a noite, costumo abandoná-la alguns minutos e saio à rua em busca de provisões de boca.

Ontem à noite — seriam oito horas — abastecera-me de frios, meia garrafa de moscatel, frutas, e lá vinha de torna-viagem, carregado de embrulhos, satisfeitão e tranquilo, quando dei de supetão com a figura de Ricardina, que se dirigia para casa, levando pela mão o nosso garoto mais novo. Estávamos frente a frente e não pude evitá-la. Quase deixo cair os embrulhos das comedorias, tão atarantado fiquei.

— Mas que é isso? perguntou ela, que não me vira em toda aquela tarde. Que é que você leva aí?

— Vamos passar bem esta noite, disse eu, recobrando subitamente a presença de espírito.

Ela estranhou um pouco, mas logo se convenceu. E lá tive de ir, caminho de casa, ao lado de Ricardina, danado da vida por aquele contratempo.

Mas não me demorei em casa, ah! isso é que não! Minha mulher chegara contente porque eu me lembrara de lhe levar aquelas gulodices, coisa que havia muito não acontecia. Durou pouco o seu contentamento, pois não eram passados muitos minutos quando finquei o pé na rua novamente, deixando-a desapontada e entristecida, com lágrimas a nublarem os seus olhos escuros ainda formosos.

Reabasteci-me de víveres e fui encontrar Belinha a rebentar de impaciência, querendo explicações acerca da minha longa demora.

25. O MALDITO TELEFONE.

11 de Março.

Estávamos certos, até há bem pouco, de que seria difícil descobrir-se o nosso esconderijo. Já agora não nos parece tão difícil assim.

Achava-me ontem esperando Belinha, à hora do costume, quando ela embarafustou pela saleta a dentro, deu volta rapidamente à chave da porta e, sem dizer palavra, deixou-se cair sentada no canapé, esbaforida, os olhos estatelados para mim.

— Que foi, Belinha? que aconteceu? indaguei, assustado.

Ainda ofegante, ela respondeu:

— Tua mulher... tua mulher, Sezino, que me está acompanhando! Ela soube de tudo... Soube de tudo, com toda a certeza, e quer apanhar-nos em flagrante...

Fiquei transido de medo.

Belinha descera dum ônibus e dirigira-se para o edifício Santa Cruz quando cruzou na rua com a minha mulher, que, parecendo havê-la reconhecido, olhara para ela friamente e não a cumprimentara. Belinha estremecera, sentindo o coração apertado. "Já está informada", pensou, arrepiada de susto. "Já está informada do que se passa. Por isso é que deixou de me cumprimentar".

Atravessara mais que depressa a avenida Afonso Pena e, ao atingir o outro lado da via pública, voltara-se e olhara para trás.

Ricardina retrocedera e tomara a sua direção, indo-lhe visivelmente no encalço. Levando o medo no ventre, Belinha estugara ainda mais o passo e penetrara, quase a correr, no bar Santa Cruz.

Fora uma inspiração felicíssima, salvadora. Minha mulher, que se acanha de entrar sozinha em cafés ou botequins, não tivera a coragem de acompanhá-la até o interior do estabelecimento, que dá saída para três ruas, particularidade que ela, Ricardina, ignorava. A perseguida rompera então, célebre, pela grande sala do bar, obliquara para a direita e fora sair na rua em que se acham justamente os elevadores do edifício.

Que era feito de Ricardina? Teria permanecido à porta do bar, esperando que Belinha saísse, ou estaria a rondar as proximidades do edifício em que nos achávamos?

Era o que perguntávamos um ao outro, metidos no esconderijo nosso, encolhidos de temor, sobressaltados como malfeitores que a polícia acossa de perto.

Afinal, passada uma hora, crente de que minha mulher já não andava ali a vigia-nos, deixei Belinha lá em cima e desci para a rua, com a intenção de ir ver o que estava acontecendo em minha casa.

Logo que pus o pé na soleira da porta tive a intuição do que se passava lá dentro. Meu filho mais velho, um rapazinho de doze anos, que estava na saleta de entrada, respondeu meio ressabiado ao meu cumprimento. Havia uma como censura no olhar sério com que me fitou. Com o coração pequenino, mas fazendo-me de intrépido, caminhei ao encontro de minha mulher. Aquilo tinha que ser. Que fosse logo.

Ricardina achava-se em companhia de sua mãe e seus irmãos solteiros — um moço e duas moças. Daí a pouco chegavam mais duas irmãs e um irmão, este com a consorte e aquelas acompanhadas dos respectivos maridos. Outros parentes viriam ainda, estava eu certo. Todo o clã dos Azevedos Barbalhos, oriundo de velho tronco lusitano, esgalhado no território das Minas de Ouro há mais de dois séculos, e atualmente sob o matriarcado de dona Amélia Juliana Silveira de Azevedo Barbalho, viúva do farmacêutico José Prudêncio e minha respeitável sogra, radicara-se nas proximidades da casa em que resido, construída pela Previdência dos Servidores Públicos e que estou acabando de pagar. É em minha casa que dona Milica reúne o seu clã em capítulo, para deliberar nas graves conjunturas, como era o caso, naquele momento. Convocado por ela, achava-se quase todo ali, constituído em tribunal de família, para me ouvir e julgar.

A cena era cruel para Ricardina, humilhante para mim e penosa para os mais que ali se achavam. Minha mulher tinha os olhos inchados de chorar, com grandes olheiras roxas e uma expressão de profunda mágoa no rosto empalidecido. Dona Milica fulminara-me, logo que me vira entrar, com um olhar que parecia dizer: "Réprobo! considera-te desde já banido desta honrada família!" Depois de lançar-me esse olhar que decerto desejava fosse um raio que me partisse, conservara-se encolhida a um canto da sala, calada, a cabeça baixa, os braços cruzados e o semblante congestionado de rancor e desdém. Filtrava mentalmente o seu ódio, apurando em silêncio os desaforos que me diria na primeira ocasião. Os outros, tanto cunhados como concunhados, mostravam-se grandemente constrangidos, e a má cara que eu fazia a todos dizia-lhes que estavam sobrando ali.

Com acrimônia, com indignação, com desprezo, Ricardina exprobou a minha deslealdade, verberou a minha traição. Não tinha palavras, gritava ela, com que pudesse fustigar a minha indignidade. Considerava-me agora um homem vil, um ser desprezível. Eu permanecia no pelourinho, exposto à ignomínia dos presentes e sofrendo, impertérrito, o merecido castigo que me infligia minha mulher. Quando ela terminou a sua mercurial, cansada de me invetivar, dirigiu-se a dona Milica e exclamou:

— E dizer, minha mãe, que vivi quinze anos iludida! Julgava-o o melhor dos maridos, mas, a senhora bem me falava, era tudo fingimento, dissimulação e mentira... Ainda o outro dia, diante da amante dele, eu declarei ingenuamente que me felicitava de possuir o mais fiel dos esposos! Que boba que fui! E ele, cínico, teve o descaramento de me apresentar àquela desavergonhada mais o sambanga do marido!

Eu ouvia tudo, de má sombra, em pé no meio da sala, imóvel, as mãos enterradas nos bolsos das calças, o olhar sem se fixar em nenhum dos presentes. Como se dera a delação? De que modo Ricardina se inteirara de tudo? Era o que eu desejava saber. Ela não tardou em satisfazer-me a curiosidade. Uma voz de mulher chamara-a ao aparelho e sussurrara a minha denúncia:

— A senhora não descobriu ainda que o seu marido tem uma amante? Não? Tenho pena. Quer saber com quem anda? Sim? Anda com uma professora...

Ricardina indaga:

— Casada?

— Sim, responde a voz, casada. Deve conhecê-la: é a professora Belinha... Isabel Vikar. Conhece? Então é fácil surpreendê-los. Corra agora mesmo à Praça Sete e espere o ônibus de Santo Antônio. Seu marido vai lá encontrar-se com ela, todos os dias, a esta hora.

Eram as quatro da tarde. Ricardina vestiu-se às carreiras, chorando, o coração a sangrar, e daí a vinte minutos achava-se no lugar indicado. Escondeu-se à esquina duma loja fronteira à Praça Sete, onde ficou de espreita, a ver se eu aparecia por ali, vigiando ao mesmo tempo todas as mulheres que vinham nos bondes e ônibus de Santo Antônio. Lá permaneceu cerca de uma hora, em febril expectação, e nós nada de aparecermos. Deu umas voltas pela Praça e imediações, espiando para dentro das lojas e cafés, sem perder de vista os ônibus e bondes que de espaço a espaço, chegavam e partiam, engolindo e expelindo passageiros. Foi então que, tendo avistado Belinha, cruzou com ela e tentou depois acompanhar-lhe os passos, para ver se a pilhava junto comigo.

Por sorte nossa, Belinha mandara-me dizer que se atrasaria um pouco e eu achara melhor ir esperá-la em nosso pouso. Dessa maneira evitou-se um encontro catastrófico com minha mulher.

A pobre Ricardina, como havíamos imaginado, ficara de sentinela à porta do bar por onde havia entrado Belinha. Esperara um tempão, até que, morta de cansaço e sentindo-se lograda, voltara exasperada para casa. Achara lá seus irmãos e cunhados, além de dona Milica, que, ciente do que se passava, julgara de seu dever congregá-los em torno de Ricardina para a confortarem na sua hora negra.

Eu fora denunciado pelo telefone — o maldito telefone! tal qual eu mesmo imaginara denunciar-me, pouco tempo antes. Sim, essa gente não tem imaginação, não sabe escolher nada melhor que o vil telefonema anônimo.

Ainda tentei abrir a boca para balbuciar algumas palavras de defesa. Ricardina, desdenhosa, não me deixou falar. E minha sogra, até então calada, interveio na acusação:

— É inútil qualquer explicação. Estamos perfeitamente informados do seu indigno procedimento. Na nossa família, só eu e Ricardina ignorávamos que o senhor há muito não se contenta com uma só mulher. Precisa de duas.

Eu repliquei, de mau modo:

— Talvez precise de duas mulheres, mas uma sogra chega e sobra.

Ricardina, amargurada, voltou-se para os irmãos e cunhados:

— Estão vendo? Ainda maltrata nossa mãe.

Fiz um gesto de impaciência e, bruscamente, sem dizer palavra, abandonei a sala de jantar metendo-me no meu quarto.

Pensava em Belinha, que eu deixara no nosso esconderijo, fechada por fora. Como de costume, trouxera a chave comigo. Precisava libertá-la antes que soasse meia-noite, do contrário ela teria de pernoitar lá, pois os elevadores só funcionavam até àquela hora.

Dona Milica achara melhor ir-se embora, com o seu séquito de filhos, genros e noras. Peguei então no chapéu e estava para sair quando Ricardina me embargou a passagem:

— Já vai você para a companhia da outra! Ela está esperando, não é isso? Pois que espere... Você, hoje, não sairá daqui.

Eu roguei, com fingida mansidão:

— Estou arrebentado de dor de cabeça e vou sair um pouco para tomar a fresca da noite. Há de fazer-me bem.

Ela, obstinada, tomou-me o chapéu, não queria deixar-me sair. Estava com dor de cabeça? Uma cafiaspirina me daria alívio.

Mas eu é que não podia perder tempo. Com grande perplexidade de Ricardina, saí mesmo sem chapéu. Minutos depois, soltava Belinha.

26. HUMOR DE CÃO.

12 de Abril.

Meu humor, em casa, é como o dum cão acorrentado. Semelha muito ao do nosso cão Pireco quando está no cio, como agora acontece. Pireco é um cão amarelo, felpudo, de peito branco e olhos cor de topázio, inteligente, vivo e carinhoso, que corre até à esquina para receber-me quando venho para casa, acompanha os pequenos à porta da escola, brinca na via pública com a garotada e a cainçalha vizinhas, aposta corrida com automóveis e motocicletas e, como viva perigosamente, já foi atropelado umas poucas vezes por várias classes de veículos. Estes hábitos de rua, que eram antes a sua grande ventura, são agora a causa do seu castigo e martírio.

— Onde está o Pireco? perguntei anteontem à hora do jantar, não o tendo visto em todo aquele dia.

— Está na vadiação, respondeu meu filho mais velho.

Sob a pressão do tormento amoroso, Pireco passara o dia inteiro na rua, não viera comer e dormira fora de casa. Ontem de manhã, cedo, apareceu-nos com o ar inquieto e apressado, fez ligeiras festas a uns e a outros, abanando a cauda, e correu logo à vasilha onde se achava a sua pitança. Engoliu-a num ápice, deixando o prato limpo. E lá se pirou outra vez para a rua, sem fazer caso dos que o chamavam.

Compreendo a sua febre. É a mesma que me aflige. Mas há os que nada querem compreender e se ocupam continuamente em molestar os que levam vida generosa e livre. A noitinha o cão tornou a aparecer, acossado pela fome, e foi sequestrado. Acorrentaram-no para que não continue na vadiação, atrás das cadelinhas rueiras. Perdeu a liberdade de se entregar à sã, simples e solta alegria dos animais de sua espécie. Privaram-no do legítimo e honesto prazer de amar, comum ao homem e ao cão. O amor tem horror ao constrangimento; é anti-social, amoral, anárquico, hostil à ideia de ordem; é um lobo que teme a coleira. Pireco está preso no quintal, jungido a uma corrente ignominiosa. Não o deixarem solto é uma opressão, uma crueldade.

27. PADRE DELFINO INTENTA REFORMAR-ME.

Mesma data.

Ricardina só não me abandonou por não o permitir a sua religião. A Igreja produz com o sacramento do matrimônio um laço que não é possível soltar, a não ser pela morte. Ricardina não romperá o sagrado laço que a une a mim. Mas continua indignada com a minha conduta e profundamente acabrunhada com a ruína do nosso lar. Mostra sofrer muito. Emagrece a olhos vistos. Está mais branca do que nunca.

Dona Milica, que lhe faz companhia todos os dias, exaspera-se de a ver sofrer e definhar. Injuria-me noite e dia, com rancor, com sanha, com ódio pertinaz. Percorre a vizinhança falando mal de mim, anda de casa em casa a demolir-me a reputação, faz crer a quantos me conhecem que sou o mais desalmado dos maridos. Estou assassinando a sua filha, grita em toda a parte: estou-a matando com o meu cruel e cínico procedimento.

Um destes dias, desesperada, não podendo reprimir a violência da sua cólera contra mim, meteu-se na privada aqui de casa e pôs-se a bramar:

— Belinha é a amante de meu genro! a cabra, a vaca! Está com a alma no inferno, ardendo em vida! Mil mortes não a castigarão bastante! Belinha, a cabra, a vaca. é a aniante de meu genro e a causadora da desgraça de minha filha! Infame! Infame! Infame!

A princípio, Ricardina andou também agitada, acalentando projetos de vingança. Ameaçou fazer queixa de mim ao Secretário da Instrução e denunciar-lhe as minhas relações com Belinha, indecorosas para uma professora pública. Depois, acabou compreendendo a ingenuidade de tais projetos.

E apelou para Deus. Só a fé, no seu entender, poderá reconduzir-me ao bom caminho. Eu perdera a fé, ou nunca a tivera. De qualquer forma, acha que é preciso avivá-la em mim. É também deste parecer o Padre Delfino, que está ao corrente do que se passa em meu lar e a quem minha mulher procurou para que a ajudasse e aconselhasse nas presentes circunstâncias.

Ricardina quase não me dirige a palavra, mas eu ando bem informado de tudo o que se conversa em minha casa. Soube, assim, que o seu diretor de consciência a demovera de quaisquer propósitos de ruptura ou vindicta. O bom do padre tem-lhe muita estima e dói-se sinceramente dos seus desgostos domésticos, mas procurara tornar menos abomináveis aos seus olhos as minhas faltas e os meus agravos, convencendo-a de que era necessário proceder com espírito cristão. Aconselhou-a a que tivesse paciência, muita paciência comigo. Aquilo passaria. Tudo passa. Esgotada a minha paixão, entraria em mim o remorso da consciência e eu voltaria a ser um bom marido,

Nos seus trinta anos de pastor de almas, padre Delfino aprendera muito dos homens e, embora deplorasse e condenasse o pecado de infidelidade conjugal, sabia-o tão frequente no indivíduo humano, tão comum e geral, que o considerava quase inevitável.

— Nenhum homem, dissera ele a Ricardina, está totalmente isento de tentações, por mais perfeito e santo que seja. O primeiro foi tentado; o último também será tentado, com toda a probabilidade. Tentar a Adão é o destino de Eva. Veja a mulher que tentou seu marido, o excelente Sezino: é daquelas que nascem com a sina de perder os homens e as famílias.

— Mas ela não é bonita.

E o padre:

— Talvez não seja. Mas tem o destino de seduzir.

Lembrando o meu passado, todo de fidelidade, todo votado ao lar, como se explicava a minha resistência às tentações, em tantos anos de casado? Pela minha boa índole, unicamente. Eu havia sucumbido às insídias de Eva, mas a minha vida passada era suficiente garantia de que eu sairia triunfante da luta entre o bem e o mal que por certo se travava no meu foro interior. Por isso, aconselhava tolerância e paciência, pois com a ajuda do meu Anjo da guarda eu acabaria vencendo em mim o passageiro surto pecaminoso. Quem sabe não me dera Deus aquela tentação para me humilhar, purificar e instruir? Eu me rebolcava no pecado, mas a graça salutar podia visitar-me a qualquer momento para tirar-me do torpor em que mergulhara. O homem peca, não pode deixar de pecar, mas tem a faculdade de se arrepender a tempo de salvar a alma. E só a salvação importa. Assim teria falado o Padre Delfino.

Ricardina ouve muito os seus conselhos, que são os do próprio bom senso. Ela acredita que eu me arrependerei com o favor de Deus e, enquanto não me vê libertado das obras da carne, exercita-se nas virtudes, arma-se de paciência e longaminidade para suportar os males decorrentes da minha fraqueza. Reza muito por mim e pede a todas as pessoas piedosas de sua amizade que a ajudem também nas suas orações. Cesário Louro — o tartufo! — confessou-me ter orado, em intenção do meu arrependimento, três noites seguidas, no quarto, de joelhos ao lado de dona Graciliana, sua mulher. A boa e virtuosa senhora, que está ciente do meu incorreto procedimento, lamenta os desgostos conjugais de sua prima Ricardina e tem compaixão de mim, pobre pecador inveterado nas práticas de "maus e desordenados afetos", conforme ela diz, na sua linguagem de Manual de doutrina cristã.

São muitas as pessoas da vizinhança, senhoras pela maior parte, que formam a "corrente de orações" destinada a operar a minha reforma. Algumas se interessam pelo meu caso como se se tratasse duma enfermidade. Uma delas tem o costume de indagar, sempre que me encontra: "Como vai, "seu" Sezino? Já está melhorzinho?"

Padre Delfino esteve esta manhã em minha casa. Veio exortar-me a trilhar o caminho do dever. Gosto de conversar com o Padre Delfino. É um velhote bondoso, dobrando já sobre os sessenta, o físico um tanto atarracado, o rosto largo e plácido, a fala pausada, um pouco ofegante, quase soprado. Gosto de conversar com sacerdotes, especialmente se são idosos. Agrada-me a urbanidade de maneiras dos homens de igreja: invejo a presença serena, a voz a linguagem polida e os gestos comedidos, comuns a quase todos, tanto os graves e austeros, como os joviais e bonachões. Admiro-lhes a disciplina da vontade, a contenção dos sentimentos, o autodomínio na expressão das emoções, o que tudo acaba formando uma segunda natureza. A educação sacerdotal dá um precipitado humano de primeira ordem, uma admirável cultura de homens, ainda quando entrem na sua combinação o fingimento, a dissimulação, a hipocrisia. Aliás, prefiro a hipocrisia, a grande virtude social que significa respeito humano, ao cinismo individualista e anárquico, contrário às mentiras vitais, às ficções úteis que permitem a vida em sociedade.

Fechando-se comigo no meu escritório, Padre Delfino suplicou-me que largasse minha amante. Em nome da amizade que nos tinha, e pela felicidade dos meus e salvação de minha alma, rogou-me encarecidamente que tomasse emenda e não continuasse a praticar o ato de adultério.

Toda gente acha fácil abandonar-se a mulher amada; quando se trata de outrem, já se vê. O padre achava isso facilíssimo. Tive de lhe explicar que não era tão fácil como parecia. Falei-lhe do amor que me prendia a Belinha, e, com o máximo de eloquência de que era capaz, disse-lhe até que ponto eu me havia apaixonado por ela e o quanto me custaria abandoná-la.

— É impossível deixá-la, disse eu. Ah! que se eu pudesse...

— Não sente vergonha, perdoe-me dizê-lo, de se confessar dominado por uma criatura do sexo frágil.

— Frágil?... Pois sim! Fique sabendo, Padre Delfino, que um pelo de mulher puxa mais que um trator Fordson...

O sacerdote esboçou um movimento de contrariedade. Depois, dando uma inflexão grave às suas palavras, disse:

— Reprima as paixões, "seu" Sezino, enfraqueça as tentações! Já está em idade cabal para isso.

Eu respondi, um pouco impacientado:

— Ora, Padre Delfino, o senhor é incapaz de avaliar o meu estado. O senhor nunca amou, não sabe o que é gostar duma mulher!

— Louvado seja Deus... Mas quem lhe disse que precisamos conhecer o Diabo para sabermos que é feio e medonho?

Tendo-me perguntado se eu cria de todo o coração em Deus, e diante do meu silêncio, que ele interpretou em sentido afirmativo, disse:

— Está bem certo da eficácia do sacramento da penitência?

— Só estou certo duma coisa, respondi, e é que sou um pecador empedernido, indigno de receber qualquer socorro da religião. Sou um pecador que sente prazer em levar a sua carga de pecados e não pensa em aliviá-la. E acrescentei, a brincar:

— Estou condenado, padre, sem remissão possível. Padre Delfino levantou os braços, com as mãos espalmadas, num gesto que lhe era habitual, e exclamou:

— Valha-me Deus! não diga disparates. Não há pecador que não possa remir-se. Basta que se confesse com propósitos de arrependimento. Deus é bom e oferece-nos um doce refúgio.

Quis convencer-me de que eu devia fazer ato de contrição e preparar-me para receber o sacramento da penitência. Notava em mim algo que se parecia com a *atrição*, pois eu sabia que pecava e reconhecia a fealdade do meu procedimento pecaminoso.

— Procure-me para se confessar, meu filho, e comungue devotamente, insistiu, batendo-me paternalmente no ombro.

— Estou sem fé, respondi, comprazendo-me naquele jogo, embora tivesse pena da ingênua sinceridade do padre, que pelejava de mau partido com a minha encoberta velhacaria. Estou sem fé. Sinto-me tíbio e insensível...

— Mais uma razão para se confessar. Deve confessar-se quantas vezes for preciso. Promete procurar-me? A fé virá com o exercício, entrará aos poucos, até empolgá-lo. Mais depressa do que pensa, será tocado pela graça de Deus. Promete-me que se confessará?

O sacerdote insistia. Eu recalcitrava. Vendo que me obstinava na resistência, deixou o meu escritório e passou comigo à sala de jantar, para se despedir de Ricardina. Mas, como queria deixar algum fruto de sua missão, rogou ainda, diante de minha mulher:

— Reze então, aqui junto de mim e sua patroa, dois padre-nossos, três ave-marias e um glória-patri. Reze devotamente. Isto lhe dará forças contra o pecado. Reze conosco, faça-nos este grande favor, sim?

O padre rogava, travando de meu braço. Ricardina implorava com os seus olhos tristes. A cena tornava-se para mim francamente burlesca. Com a minha fé, eu introduzia um elemento de farsa naquilo que deveria ser, e era, uma obra de devoção. Eu estava porém interessado em fazê-los acreditar no meu propósito de emenda. Atendi, pois, sem muito me fazer de rogado, ao que o padre me pedia. Ajoelhei hipocritamente (que Deus, se acaso existe, me perdoe a falta de respeito), ajoelhei-me, sem enrubescer de vergonha, ao lado do sacerdote e de minha mulher e rezei com eles, com fingida devoção, dois padre-nossos, três ave-marias e um glória-patri. Custou-me tão pouco!

28. A PAZ E A GUERRA NA FAMILIA.

Maio.

Quando volto para casa, já tarde da noite, encontro o meu chocolate com torradas junto do fogareiro elétrico, postos na mesa pelas mãos de Ricardina. E com isso, a um lado, a *Imitação de Cristo*, marcada em certa página, adrede escolhida. Sorvo o chocolate, trinco umas torradas e leio a página marcada no livro imortal. Uma noite, encontro marcado o capítulo que fala "das afeições desordenadas". Outra, o que ensina "como se há de resistir às tentações". Outra, o que se intitula "Da paz e do zelo em aproveitar", assinalado a lápis vermelho no parágrafo que diz: "Custoso é deixar nossos costumes; mais custoso, porém, contrariar a própria vontade. Mas, se não vences obstáculos pequenos e leves, como triunfarás dos maiores? Resiste no princípio à tua inclinação e rompe com o mau costume, para que te não meta pouco a pouco em maiores dificuldades. Oh! se bem considerasses quanta paz gozarias e quanto prazer darias aos outros, se vivesses bem, decerto cuidarias mais do teu adiantamento espiritual".

Enquanto me delicio com o chocolate e as torradas, de que sou muito guloso, vou lendo o maravilhoso livrinho, uma página hoje, outra amanhã. Mas não me aproveita a leitura: a fruição intelectual é grande, porém o coração não é tocado, nem entra nele qualquer intenção de emenda. Evidentemente não chegou ainda o momento de descer sobre mim o socorro de Deus.

Convinha, entretanto que minha mulher continuasse iludida. E ela tanto pediu, rogou, implorou, que eu afinal me fui confessar. Padre Delfino, a quem procurei com esse fim, perguntou-me *quantas vezes* eu praticara com a minha amante o *ato celerado*. Quantas? Impossível dizê-lo. Mas como o padre insistia na pargunta, que era talvez da técnica da confissão, eu só pude responder: "Não tem conta".

Ele queria de mim, disse, uma confissão dolorosa, que é aquela em que o penitente sente manifesta dor íntima de haver pecado:

— Faça o firme propósito de não pecar outra vez. Fuja das ocasiões. Abandone aquela mulher. Sei que é difícil, muito difícil, mas esforce-se...

E, pensando impressionar-me:

— Noventa e nove por cento dos que estão no Inferno são luxuriosos. A luxúria arrasta a outros pecados, a todos os pecados, à abominação da desolação.

Recebi a eucaristia no dia seguinte, ajoelhado junto de minha mulher, que também comungava. Ela anda agora de coração alegre, e, como estamos no mês de maio, crê que a Mãe do Salvador lhe restitui o marido remisso.

Não tardou muito em perder essa crença. Uma vizinha nossa, mulher dum motorista de praça que estacionava o seu carro no mesmoponto do Pechincha, contou a Ricardina o que sabia a respeito das minhas vadiações, e não sabia pouco. Relatou-lhe várias peripécias, umas recentes, outras antigas, referentes às minhas aventuras com Belinha. Informou-a de que eu continuava com ela e ainda na véspera havíamos tomado juntos o carro do Pechincha.

Custou-me essa coscuvilhice uma cena terrível com a mulher e a sogra. Ricardina referiu-se, indignada, a certos pormenores escabrosos que a mexeriqueira soprara aos seus ouvidos. Gritava, voltada para Dona Milica:

— Nus, mamãe! Nus, os dois, no quarto duma casa de *rendez-vous*... E ele mamando na vaquinha! Vistos pelo buraco da fechadura... Que nojo!

Só podia ter sido na casa da Durvalina, meses atrás. A informação tinha visos de verdadeira, mas chegara atrasada. Durvalina, mulher indiscreta e sem pejo, era muito capaz de ter consentido que algum *voyeur* espiasse pelo buraco da fechadura o que se passava na alcova de sua casa.

Abrasadas de cólera, mãe e filha desfecharam sobre mim uma saraivada de contumélias e doestos. A palavra mais amena do vocabulário de Ricardina era: Satanás! O mais inocente impropério de Dona Milica era: Assassino! Na boca de ambas, Belinha era a rameira, a messalina, a cróia, a gansa, a vaca!

Dei-lhes corda, consenti que me insultassem e disessem horrores de minha amante. Deixei-as gritar, até ficarem arquejantes, sem alento. Vendo-as então rendidas de cansaço, devolvi com pesados juros os ultrajes recebidos. Com calma, com método, seguro da minha superioridade masculina, paguei em dobro as injúrias atiradas sobre mim. Aspirando o ar com força, Dona Milica gritou:

— Jesus! Como eu odeio esse homem e como ele me odeia!

— Perdão, minha sogra, ripostei com acerada ironia; eu não a estimo nem a detesto; atribuo-lhe uma existência hipotética.

Um pouco impaciente, voltei-me para Ricardina, com mordacidade de que logo me arrependi:

— Se você, em vez de andar macerando o corpo nas igrejas e secando a alma com a leitura da *Imitação de Cristo* e outros entorpecentes, lesse a *Arte de amar*, de Ovídio, talvez aprendesse certas tretas com que se conquistam ou reconquistam os maridos.

— Miserável! bradou Dona Milica, espumando de ira. Tipo obsceno! Quer a minha filha igual à sem vergonha da barregã!

Tendo recobrado as energias, caminhou para o meu lado, os braços erguidos e as mãos crispadas, prontas a apertarem-se na minha garganta. Mas o seu gesto não passou dum ato frustrado. Deixou-se cair de joelhos, impotente, rojando-se pelo chão. Depois, arrastando-se em direção a mim, ajoelhada como estava, recomeçou a imprecar e invetivou-me com fúria, ajudada pela filha. Foi um tufão de insultos atrozes. Para enfezá-la ainda mais, eu dizia-lhes, sardônico:

— Mortifique a língua, minha sogra... Urbanize as maneiras, Ricardina... Que xingamentos impróprios em bocas de senhoras educadas e piedosas!

Por fim, já farto daquele sarrabulho doméstico, telefonei ao Padre Delfino para que viesse ter mão nas duas mulheres descontroladas. Não tardou o bom homem a acudir ao meu chamado. Contei-lhe o que se passara.

— Repitam diante do padre a cena de há pouco, disse eu.

As mulheres recomeçaram logo a fazer carga sobre mim, porém em termos que o reverendo podia ouvir.

— Assim, não! exclamei. Com esse tom de penitentes, não vale. Dramatizem. Dramatizem, como faziam ainda agora. Impreque, injurie-me, amaldiçoe-me, Dona Milica! Grite, vocifere, Ricardina!

Padre Delfino estava consternado, não sabendo como intervir. Afinal, com jeito e paciência, conseguiu uma trégua na família desavinda e despediu-se de nós com evangélicas palavras de paz. Dona Milica mostrava um semblante ouriçado e altivo, parecendo momentaneamente vencida, mas não domada. Sobre o rosto pálido de minha mulher, a boca se retraía nas extremidades com amargura e o olhar velava-se de fadiga e desesperança.

29. DUAS CRIATURAS PERIGOSAS.

Sem data.

Belinha leu para mim a carta que recebeu por último do marido, expedida duma cidade do Oeste. Dizia no começo:

"*Eu, um viajante do comércio e dois médiuns daqui salinos em excursão psíquica pelas localidades próximas. Toda esta zona do Oeste está muito carregada de fluidos. Fomos apanhando fluidos pelo caminho e realizando interessantes sessões espíritas. Estamos com as baterias carregadas...*"

— Ele está gracejando, ou fala sério? perguntei.

— Está falando sério. Parece mentira que Leo acredite nessas coisas de ocultismo e espiritismo, não é? Um homem tão realista e positivo... Pois acredita.

Continuou a ler:

"*Quase não faço dinheiro por aqui. Os negócios continuam parados. Mas rou viveno sem grandes aborrecimentos. Tenho vergonha de ir a Belo Horizonte, por causa de você. Quando passo nas ruas, aí, é como se todos me conhecessem e murmurassem ao ver-me: Lá vai o marido da Belinha, coitado!*

"*Por falar nisso, chegou aos meus ouvidos que você está amasiada com o tal Sezino. Eu já desconfiava e não sei se devo acreditar ou não*".

— Sabe de tudo! exclamei.

— Tem fortíssimas desconfianças, pelo menos, disse Belinha.

Leu o resto, que dizia:

"*Sempre me causou irritação ouvir da sua boca, a toda hora, o nome desse salafrário. Será bom que ele não continue a interferir nos assuntos da minha casa, como tem feito. Não quero tutelas. Era só o que faltava.*"

E mais adiante:

"*Só desejava que você me desse, ao menos, uns três meses de sossego de espírito, para eu poder consertar a minha vida. Mas você não toma juízo. Você é uma poliandra*".

— Lê o resto, disse Belinha estendendo-me a carta. É repugnante.

Li para mim:

"*Eu não me queixo, nem posso queixar-me. Sei quem você é, já o sabia antes de casar. Que me trouxe você como presente, quando casamos? Uma coroa de virgem? Que esperança! Um par de chifre.* Cocu avant la lettre, *fui corneado antes do casamento e, como era lógico esperar, depois do casamento. Extraordinária predestinação a minha!*"

O melhor da carta era porém uma folha anexa em que Leo Vikar desenhara toscamente, a lápis, as figuras dum homem armado de chifres na cabeça, uma mulher, três meninas e um menino, cada qual assinalado com um nome: o homem chifrudo era Leo; a mulher, Belinha; Vicki, Lea e Arabela, as meninas, e Leozinho o menino. Traziam a legenda: *O Minotauro e sua família*, e a um lado estava escrito: "*Garatujas que envio aos meus filhos para que vejam em que estado me pôs minha mulher*".

— Que horror! exclamei.

Fiz profissão, ultimamente, de não me espantar de nada, sobretudo no que concerne a Leo Vikar e sua mulher. Mas aquilo, verdadeiramente, forçava ao espanto.

— Teu marido é um humorista dos bons, disse eu com toda a sinceridade. Um humorista feroz! Ele brinca cruelmente com o próprio infortúnio, zomba da própria dor. Um autêntico humorista.

— Já disse muitas vezes que Leo não é um homem vulgar, replicou ela, a rir.

Eu bem sabia que ele não era um homem vulgar, assim como também sabia que ela não era uma mulher vulgar. E pensava no caprichoso destino, verdadeiramente diabólico, que juntara aquelas duas criaturas perigosas como o são todas as criaturas inteligentes sem princípios.

— Ele escreve sempre barbaridades como essas, ou é a primeira vez? perguntei.

— Primeira, não. Já estou habituada a isso. Às vezes dirige-me uma ou duas linhas mandando abraços para os filhos e no "*Belinha, quem me enganou você hoje*?"

Aludindo às inclinações espiritistas do marido, contou-me como Vikar descobrira nela supostas qualidades mediúnicas e tratara de experimentá-la com instrumento para a produção de pretensos fenômenos psíquicos. Incrédula e embusteira, Belinha divertira-se muitas vezes a intrujá-lo. Caía em transe com extraordinária facilidade, fazia mover mesinhas, tocava trombetas, dava golpes nos móveis ou engenhava-se em bolir com os presentes, soprando sobre eles, puxando-lhes as orelhas ou ferrando-lhes beliscões. Apurando os seus dons, chegara a produzir uma substância esbranquiçada, membranosa e flutuante, que os assistentes interpretaram como um estupendo fenômeno de materialização: Leo Vikar explicara então que a tal substância, recentemente descoberta pelos ocultistas europeus, chamava-se ectoplasma ou teleplasma.

Se algum dos presentes, munidos duma tesourinha, cortasse um fragmento do misterioso ectoplasma, verificaria que aquilo não era senão papel higiênico, ou quando não, musselina, em farrapos, que Belinha retirava, e depois ocultava prestemente, da boca, do nariz e do seio.

O marido considerava-a um bom aparelho receptor de espíritos e jactava-se de fazê-la dormir ou acordar, quando bem o entendia, por meio do hipnotismo. Tendo-a em estado de hipnose, julgava fácil arrancar-lhe os segredos que acaso guardasse nos refolhos da consciência.

Certa vez, em Ouro Preto, quando ele se recolhia a casa. Belinha tirara-lhe do bolso, sem que o notasse, o relógio de ouro. Não o encontrando no dia seguinte, depois de o ter procurado muito, deu-o como perdido ou roubado, lembrando-se finalmente de utilizar para o esclarecimento do caso os dons de médium vidente que ele reconhecia na mulher. Figindo-se em transe mediúnico, e interrogada acerca do paradeiro do relógio, ela respondera que o *via* escondido embaixo duma pedra no caminho das Águas Férreas. Ali o ocultara, horas antes. E ali o foram achar minutos depois, com grande admiração e contentamento do crédulo Leo Vikar.

Mas a sua grande especialidade consistia nas mensagens escritas que recebia do Além. Eram comunicações de ilustres defuntos, antigos e modernos, profetas, filósofos, artistas, poetas, estadistas, homens de ciência. Uma noite, quando realizavam em casa uma dessas sessões, às quais assistiam sempre algumas pessoas conhecidas, Belinha gatafunhou uns caracteres estranhos que pareciam estenografia e finalizavam, a modo de assinatura, com garranchos igualmente indecifráveis.

— Deve ser árabe, disse Leo Vikar examinando os enigmáticos rabiscos.

— Sim, com certeza é árabe, concordaram os outros.

Acordando de seu pseudo sono mediúnico, e simulando admiração pelo que escrevera, Belinha lembrou:

— Se é árabe, o Abechute deve compreender.

Abechute era a alcunha dum moço sírio, estudante de farmácia, que morava numa "república" ali defronte. O rapaz, grande trocista, e que estava no segredo da farsa inventada por Belinha, foi logo chamado, não tardando em aparecer na sala. Deram-lhe o papel, que ele fingiu ler com atenção, dizendo ao terminar, muito sério:

— São versos... versos do poeta oriental Yur Somar, rnorto há uns quatrocentos anos, pelo menos. Um grande poeta.

E logo improvisou para os presentes, à guisa de tradução, uns versos extravagantes, sem tom nem som, que todos entretanto acharam excelentes. Leo Vikar exclamou, convicto:

— Um grande poeta, realmente!

O nome do bardo árabe era repetido de boca em boca:

— Yur Somar?

— Sim, Yur Somar.

— Esperem, esperem, disse um da roda. Esse nome não me parece estranho. Yur Somar...

Procurou recordar-se e, por fim, bateu na testa, achando:

— Ah! já sei, agora. Parece o pseudônimo dum charadista, meu confrade, Ziul Somar, que é o seu próprio nome, Luís Ramos, escrito às avessas.

E observou, com admiração de todos, que Yur Somar era o anagrama perfeito de Ruy Ramos.

— Então foi algum espírito brincalhão que se divertiu a nossa custa, disse alguém.

Todos olharam, desconfiados, para o Abechute.

— Nada disso, acudiu o Sírio. Yur Somar foi um poeta ilustre, que existiu verdadeiramente em Beirute e figura nas antologias. Trata-se de simples coincidência.

— Sim, sim, uma coincidência muito interessante, epilogou Leo Vikar.

30. NA NOSSA PISTA.

5 de Junho.

Ontem, ao meio-dia, Belinha foi à Secretaria das Finanças receber os seus vencimentos de professora. Tínhamos combinado de véspera que eu a esperaria ali por perto, àquela hora, no automóvel do Pechincha. Antes de entrar, ela olhou em torno e não me viu, nem eu a vi também, pois o automóvel em que me achava postara-se um pouco afastado da Secretaria, junto do Serpentário do Instituto Ezequiel Dias. Belinha não se demorou lá dentro. Ao sair, tornou a esquadrinhar as redondezas com os olhos e, não me tendo visto, tomou o bonde e desceu no centro da cidade, dirigindo-se logo para o edifício Santa Cruz, na expectativa de que eu estivesse esperando por ela no nosso esconderijo. Quando ia a apertar a campainha de chamada do elevador, reparou que apontara na esquina da rua um indivíduo maltrapilho, que, ao ver-se notado por ela, se encostara à parede, coxeando, e puxara mais para os olhos o chapéu desabado. Súbito, assaltou-a uma suspeita: "E se fosse o Leo?"

O marido chegara do Oeste aqueles dias e altercara com ela várias vezes por minha causa. Tínhamos motivos para crer que andava a vigiar-nos, e por isso rodeávamos de cautelas os nossos encontros. "É ele, disfarçado de mendigo!" considerou Belinha, assustada, depois de lhe ter relanceado furtivo. Rápida, tomou a resolução de enfiar pela escada de serviço, galgando-lhe a correr os degraus, até o segundo andar. Dali, meteu-se no elevador e foi ter ao oitavo, encaminhando-se pelo corredor, solitário naquele momento, até à sala em que se encontrava sempre comigo. Bateu na porta, nervosa, repetidas vezes. Ninguém respondeu. Já vinha de volta pelo corredor, quando deu de chapa com o homem maltrapilho, que subira no seu encalço, caçando-a por toda aquela parte do edifício. Era o próprio Leo Vikar. Vestia calças de brim cáqui, sujas, metidas em velhas polainas, paletó do mesmo brim, sem botões, preso na frente por um alfinete de fralda, *cache-nez* de xadrezinhos cruzado ao pescoço e chapéu amarrotado e sebento, enterrado até às orelhas. Estava imensamente ridículo, e isto subtraía ao momento uma parte da sua dramaticidade. Durante alguns segundos ficaram os dois frente a frente, a olhar um para o outro, arquejantes, a voz travada pelo cansaço e a comoção. Embora com o coração afrontado pelo medo, Belinha foi a primeira a falar:

— Ui! que susto você me pregou, lobisomem!

Leo Vikar tirou da boca um pequeno limão com que simulara um calombo na face esquerda. Olhou-a com ira e perguntou entre dentes:

— Que está fazendo aqui?

Ela tentou dar uma explicação. Fora receber o ordenado, na Secretaria. Deram-lhe porém uma ficha de número muito alto. Teria de esperar umas duas horas. Por esse motivo, e como estivesse com fome, descera à cidade para fazer um lanche no Bar Santa Cruz.

— Mentira! exclamou ele, segurando-a com força por um braço. Mentira! Estou acompanhando você desde a Secretaria. Vi você entrarr, e fiquei espiando, deitado na grama do jardim da praça, disfarçado de mendigo, com esta roupa. Vi você sair, e vim logo atrás...

Belinha, sem se perturbar muito, replicou:

— Não disse que fiz o lanche, e sim que ia fazê-lo. Mas antes de entrar no Bar senti certa necessidade... como sei que as casinhas aqui em cima são muito limpas e de uso mais discreto para as senhoras, dirigia-me para cá, quando vi você acompanhar-me até perto do elevador, com essa cara patibular e esse traje farrapento, indecoroso...

— Você me reconheceu?

— Logo, e de longe...

— E porque fugia?

— Porque tinha medo que me vissem conversando com um mendigo, disse ela, lançando-lhe de alto a baixo um olhar de desprezo. Não queria encontrar-me com você nesse estado. Por isso, escapuli-me pela escada de serviço.

Ele acudiu, mordaz:

— Non. A desculpa é bem forjada, mas non creio em nada do que você está dizendo. Em nada, ouviu? Você veio atrás do seu amante. É aqui que vocês se encontram. Onde está ele? Diga onde está ele? Qual é o quarto de vocês?

Gesticulando e gritando, bateu à porta do primeiro cômodo, ao lado em que nos achávamos. Era exatamente o nosso. Bateu no segundo, no terceiro. Ninguém vinha abrir. Àquelas horas — ainda não eram as treze — os escritórios estavam quase todos fechados, para o almoço.

Belinha não teve remédio senão sair com o marido, envergonhada de levar a seu lado aquele homem vestido como um vagabundo.

Esperavam juntos um bonde que os levasse à Secretaria, quando me aconteceu passar não longe deles, no carro do Pechincha. Vi Belinha em baixo dum ficus, junto a um poste de parada, mas não reconheci Leo Vikar ao lado dela, um pouco atrás. Deixando o carro, ordenei ao motorista que voltasse e parasse diante de Belinha e a conduzisse à Secretaria.

— Quem mandou o carro? gritou Leo Vikar, interpelando o motorista que estacionara em frente deles e abrira a portinhola. Diga quem mandou o carro?

Perplexo, atarantado, o Pechincha não sabia o que responder. Belinha salvou a situação, dizendo que lhe fizera sinal quando o vira aproximar-se. O bonde estava demorando, acrescentara, e ela não queria perder a hora do pagamento. Ele pareceu convencido, e tomaram então o automóvel.

Eu, que a espreitava de longe, vendo-a seguir acompanhada, bacorejei logo que o indivíduo mal vestido não era outro senão Leo Vikar. Tomei também um auto e dirigi-me igualmente para a Secretaria das Finanças. Lá, num dos corredores da Pagadoria, passou-me Belinha um bilhetinho que dizia:

"*Sabe de tudo. Descobriu nosso esconderijo*".

31. EU, UM TOLSTOIANO. ELA, UMA REDIMIDA.

26 de Junho.

Cenas violentas sucedem-se diariamente entre Belinha e o marido. Leo Vikar tem uma arraigada paixão carnal pela mulher. Sofre, tem sofrido até aqui que ela se entregue a outros homens por sensualismo. Sofre que tenha amantes, em obediência aos caprichos de sua natureza ardente. Mas isto sem comprometer a alma, sem deixar de lhe pertencer, a ele seu marido, admitindo-lhe o domínio, conservando-se-lhe fiel, não só pelo coração, como pelo que há de mais profundo nos seus sentidos.

Fora sempre assim, Belinha. Agora porém, não era a mesma. Já não lhe pertencia, nem pelo corpo, nem pela alma. Subtraía-se à sua influência. Pertencia, inteira, a outro homem. Já não o suportava, recusava-se às suas carícias, repelia os seus contatos, evitava-o com repugnância. Era isto o que o exasperava. Perdoaria tudo, sempre perdoara tudo, menos que ela o privasse dos seus afagos para concedê-los a outro homem unicamente. Era por causa de "seu" Sezino que ela o desprezava agora? Era, sim, e tanto pior para eles. Vingar-se-ia dos dois.

Armado de revólver, segurando-a pelos cabelos, ameaçou-a com fúria, os olhos encarniçados, o semblante feroz, a voz rouca:

— Recusas?

— Recuso.

— É porque gostas do Sezino, teu amásio. Pois vou matá-lo agora mesmo, na repartição em que ele trabalha. É teu amante, eu sei, é teu amante.

— Não é meu amante.

— Eu sei que é teu amante. Se confessas tudo, pouparei a vida àquele patife. Anda, confessa...

Bateu-lhe, seviciou-a, moeu-a muito bem moída de pancada. Insultou-a, cuspiu-lhe no rosto, atirou-a ao chão, calcou-a aos pés. Torturou-a longo tempo, até cansar.

Exausta, não podendo mais, Belinha confessou. Amava-me, sim, disse ela, amava-me desatinadamente. Era exato, como lhe haviam dito, que nos encontrávamos no edifício Santa Cruz. Mas, por mais raro e estranho que pudesse parecer, não havia nada de mal no sentimento que nos unia. Era um amor espiritual, todo platônico, feito de ternura e delicadeza, o que nos inclinara um para o outro. Eu era um tolstoiano, e ela sentia-se redimida, por um milagre daquele afeto superior.

Tudo soava falso, nada havia de verossímil nas palavras de Belinha, porém Leo Vikar não achava aquilo de todo em todo improvável.

Meio crédulo, meio incrédulo, perguntou:

— Que idade tem o filho mais novo de "seu" Sezino?

— Cinco anos.

— Ah! E ele é partidário da natalidade limitada?

— Não sei, respondeu Belinha, de mau modo.

Vikar meneou a cabeça, silencioso, como a duvidar do espiritualismo que ela me atribuía. Esteve assim um instante, depois considerou :

— Já non é moço. Em todo o caso, muito mais moço do que eu. Por isso, non acredito que ele seja um tolstoiano. Non acredito. Se ele ainda fosse um europeu, civilizado, talvez eu acreditasse. Mas um brasileiro... Non acredito.

— O Sezino é um homem de sentimentos elevados... arriscou Belinha.

— Non, non, non.

Passou-se isto há dois dias. Ontem, Belinha falou-me que o marido a encarregara de me convidar a visitá-los aquela noite, para tomarmos juntos um *whisky* de primeiríssima, um Old Parr celestial.

— Ele considera-te poltrão e apostou comigo como não irás, me disse ela.

Era uma cilada que ele estava preparando para me apanhar e matar em sua casa? Belinha tirou-me esse receio. Não o julgava capaz de cometer um homicídio naquelas circunstâncias. Não porque fosse manso e tolerante. Ao contrário, era duro com os inimigos e implacável no ódio. Procedia sempre com frieza e cálculo. Sabia como poucos disciplinar os seus impulsos primários, tendo um poder inibitório muito desenvolvido, que lhe permitia dominar as suas tendências nocivas. A raiz dessa capacidade inibitória não estava no senso moral nem no sentimento religioso, mas no seu esclarecido juízo de homem civil e polido.

Contou-me, a propósito, um fato de sua vida passada. Leo Vikar tinha como auxiliar de escritório, quando negociava em cereais por atacado, um rapaz de confiança, ativo e dedicado, por quem Belinha demonstrava também alguma estima. O rapaz acabara fazendo-lhe a corte e apaixonando-se por ela. Uma tarde em que Belinha fora ter com o marido no seu escritório, o moço achara jeito de lhe entregar furtivamente um bilhetinho, enquanto Vikar lhes dava as costas; mas com tanta infelicidade o fez, que o outro, voltando-se logo, notara o gesto e quis saber do que se tratava. Segurando-a pelo pulso, arrancara-lhe violentamente, após uma breve luta, o bilhete amarrotado que ela apertara na mão. Leu-o, ardendo em furor. O jovem apaixonado de sua mulher reclamava, imperativo, novas entrevistas. Possesso de raiva, Leo voltara-se para o seu protegido que assim o traía miseravelmente e caminhou para ele, os braços erguidos, os punhos cerrados, prontos a castigá-lo. O rapaz, siderado de terror, balbuciava: "Mate-me... mate-me, se quiser..."

Não podia haver confissão mais eloquente. Belinha, estarrecida, olhava maquinalmente para os dois homens. Vikar esmurrara o rapaz brutalmente, até deixá-lo desacordado no solo, a deitar sangue pela boca e pelo nariz. Poderia tê-lo matado, se quisesse. Tinha ali ao alcance da mão, numa gaveta, o seu revólver carregado. Contentara-se porém o castigo que lhe infligira.

Depois disso, enxortara-a de casa. Dera-lhe um cheque de banco e uma passagem para o Rio. Que se fizesse artista de teatro ou bailarina de cabaré, ou entrasse para um bordel de refugo, como parecia mais fácil.

Metera em casa uma governante e dera uma ama a cada uma das duas crianças que ficavam com ele, únicas do casal. Trocara simplesmente de doméstica, segundo espalhava no lugar. Belinha, dizia ele por toda a parte, não era sua mulher legítima, pouco passando duma empregada de estimação, que era também, por comodidade, a sua concubina.

Semanas depois, mandava buscar a mulher, que se divertia a seu gosto no Rio, como lhe permitia o cheque avultado.

— Não tenhas medo, que ele não te matará, disse ela, tranquilizando-me. Ainda não vejo as coisas em ponto de tragédia...

Sou poltrão, reconheço-o. Mas, para estar junto de minha amante, torno-me intrépido, e capaz, até, de praticar algum ato de heroísmo. Arriscarei a própria pele, se tanto for preciso.

Fui, como não? Munido dum bom revólver, que o Cesário Louro, sempre camarada, me emprestara, afoitei-me a surpreender o urso cavernícola no seu antro.

Eram as sete e meia da noite. Belinha pediu à empregada que fosse passear com as meninas, Vicki. Lea e Arabela. Leozinho, o caçula, foi compelido a meter-se logo na cama. Só ficamos os três, o sempiterno triângulo das comédias e tragédias de alcova. Após alguns minutos de conversa sobre assuntos indiferentes, Vikar mandou a mulher trazer a garrafa de *whisky*, mais a de soda e a de sifão e os copos. Antes de servir-lne, perguntou:

— Com sifão, ou soda?

— Puro, respondi, fazendo farronca.

Ele sorriu-se, com pena de mim, evidentemente. Enganava-se. Raramente bebo, mas a bebida não me sobe à cabeça com facilidade.

— *Prosit*, brindou ele, tocando o seu copo no meu.

Engoliu dum trago o *whisky* com soda, encheu logo um segundo copo e , antes de esvasiá-lo, foi fechar as janelas da sala em que nos achávamos. Eu sentara-me de costas para a porta da rua, que ficara meio aberta. Em caso de apuro, era-me fácil bater em retirada. Fazendo-me porém de valente, desafiei-o, com irônico desplante:

— Não quer fechar também a porta? Napoleão dizia recear mais uma corrente de ar pela retaguarda do que mil inimigos pela frente.

Ele retrucou:

— O senhor é bastante. como devo dizerr?

— Cínico, não é isso?

Ele não pôde reprimir o riso, ficando meio desarmado. Achava-me, provavelmente, um patife de muita força.

Animando-se com as libações, falou-me dos seus tempos de oficial do exército rnagiar. Gabou-se de ser um atirador de primeira ordem, especialmente com armas curtas.

— E o senhorr? perguntou com acento de provocação. O senhorr atira bem com a pistola?

— Só a queima-roupa, repliquei, olhando-o bem no rosto, sem mostrar intimidação.

Belinha fez com a cabeça um sinal quase imperceptível de aprovação e lançou-me um olhar que dizia: "Assim!"

— E só sei atirar com este *bibelot*, acrescentei, puxando do bolso um pequeno Smith and Wesson.

Leo Vikar sorriu ao ver-me brincar com o revólver.

— Está carregado? perguntou.

Mostrei-lhe o tambor com seis balas. Ele chasqueou:

— Enton, guarde isso. Non brinque nunca com armas de fogo.

— Que mal faz? disse eu. Esta armazinha sugere-me tantos pensamentos agradáveis...

— Pensa no suicídio?

— Oh! não. Em coisa muito mais viril.

Belinha conservava-se encolhida na sua cadeira, os olhos pregados em mim, receando talvez que eu perdesse a calma e desse motivo a alguma cena lamentável.

Conversamos até às onze da noite, hora em que se esgotou a garrafa de *whisky*. Vikar, já bastante *groggy*, a língua perra, carregava cada vez mais nos *erres* e perdia rapidamente a memória das palavras portuguesas. Eu, ligeiramente toldado, triunfava sobre o Húngaro pela minha presença de espírito, levando a melhor naqueles jogos florais de remoques irônicos e indiretas mordazes.

Despedi-me e saí, contente comigo mesmo e temendo menos o marido da minha atuante.

32. NÃO EXISTE O CRIME PERFEITO.

18 de Julho.

O marido de Belinha continua a maltratá-la e a embaraçar os seus encontros comigo. Quando ela está em casa, ele não arreda pé de lá. Quando ela sai, ele vai-lhe no encalço, para espionar-nos. É pois com todas as cautelas que nos vemos no nosso esconderijo. Belinha impacienta-se: "Aquele monstro está atrapalhando a nossa vida. Que havemos de fazer para afastá-lo do caminho? Ah! que se houvesse um jeito de eliminá-lo!" Assim diz ela, com ódio.

Sim, se houvesse um meio de eliminá-lo, sem deixar vestígios! Mas não há. Não tenho animosidade contra Leo Vikar, mas acho-o muito incômodo, e para mim seria melhor que ele não existisse, ou habitasse o planeta Sirius. Assim penso eu, com frio egoísmo.

Belinha, agora, deu em odiá-lo violentamente, com ódio de mulher, reconcentrado, sem equidade, levado até às últimas consequências. A vida de Leo Vikar não está muito segura, lá isso não está. Belinha já pensou em suprimi-la aos poucos, ministrando-lhe pequeninas doses de veneno. Claro que já pensou no envenenamento. *Adultera ergo venéfica*, diziam os antigos Romanos. A ideia de envenenar o marido embaraçante, o marido execrado, ocorre logo ao pensamento da adúltera.

Envenenar é fácil. Pode envenenar-se o prato favorito, umas frutas, uns bolinhos, ou o café de toda hora. Com um pouquinho de pó de matar camundongos, propinado dia a dia ao bicho-marido, provoca-se uma perturbação gastro-intestinal aparentemente sem importância, mas de prognóstico fatal. O mau é que, depois, a necrópsia revelará miligramas de arsênico no tecido hepático do defunto. O veneno não serve. Madame Lafarge foi para a cadeia; Madame Lacoste, também; Raquel Galtié, idem; a Scierri, idem. E assim as outras envenenadoras, tantas, tantas. O veneno deixa vestígios, fáceis de descobrir, com os progressos da toxicologia.

Abandonada a hipótese do envenenamento, teve Belinha outra ideia: arranjaríamos um meio de amarrar Leo Vikar e, tendo-o bem manietado, mergulharíamos a sua cabeça na banheira cheia dágua, até afogá-lo.

— Que tal a ideia? perguntou-me.

— Não é original, respondi. Deu-se na Europa, não me lembra em que país, um crime parecido. A vítima foi subjugada por um homem e uma mulher e submergida pela cabeça numa tina dágua, até à morte por asfixia. A agonia durou muito, quinze ou vinte minutos. Homicídio particularmente cruel. Foi descoberto?

— Foi descoberto?

— Descoberto e punido.

— Não há então crimes que a polícia não descubra?

— Há, sim, há muitos crimes impunes, mas por obra do acaso, unicamente.

— Não é possível então o crime perfeito?

— Não. Ainda não se inventou o crime perfeito.

Belinha, porém, não esmorece assim assim. Quer inventar o crime perfeito, por que não? Medita no crime de gênio que não deixará vestígios. Eu, que a secundo nessas lucubrações como simples curioso, lembrei que seria interessante obter-se uma cultura de germes de doenças infectuosas bem graves, o tifo exantemático, por exemplo. Ela achou plausível a sugestão e durante semanas pediu-me uma cultura de agentes do tifo. Como obtê-la? Cheguei a visitar o Instituto Ezequiel Dias, a ver se furtava algum vidro com material tífico, mas nada encontrei a mão.

33. "HOMO MULTIPLEX".

2 de Agosto.

Leo Vikar faz questão que eu frequente a sua casa. É para o bem de todos, pensa ele; do contrário, a mulher será capaz de cometer um desatino, pode matar-se. Situação horrorosa.

Foi o que ele me mandou dizer pela Belinha. Eu prometi ir. Apareço lá agora todas as noites. Belinha lê em voz alta algum livro, alguma revista, sentada no sofá com Vicki e Lea. Numa cadeira de braços à direita, senta-se o marido; noutra à esquerda, eu. Arabela e Leozinho brincam pela casa, fazendo grande escarcéu.

A mobília é pobre. Cadeiras de assento de palhinha, já roto e espipado em algumas. A casa é uma barafunda. Há objetos de toucador na sala de jantar e utensílios de cozinha no quarto conjugal. Pela porta do quarto, aberta, lobrigo na gaveta escancarada duma cômoda um roupão amarfanhado, discos de gramofone, uma garrafa térmica e frascos de perfume vazios. As aranhas marinham pelos ângulos das paredes, tecendo pacificamente as suas teias, sem perigo de serem incomodadas com o vasculho.

Vicki e Lea, já lindas mocinhas em botão, não se mostram lá muito amigas do pai. Parece que gostam mais de mim. Trato-as com carinho, encho-as de guloseimas, dou-lhes presentes, pago-lhes o cinema. Acham-me provavelmente, delicado e afetuoso com a mãe, atencioso com todos, urbano de maneiras e de linguagem. O avesso do pai, precisamente.

Não sei, nada posso afiançar, mas às vezes me parece que até o próprio Vikar sente certo prazer inconsciente em estar na minha companhia. Pois não disse ele à mulher que me acha discreto, nobre e cavalheiro e que eu nunca olho para ela quando estamos os três juntos? Outras vezes noto-lhe o ódio mal contido, a extravasar no gesto, no olhar, na conversa, a filtrar-se nas frases sardônicas, nas réplicas aceradas.

Estará ele convencido realmente de que sou um platônico e que o amor que eu e Belinha sentimos um pelo outro não é carnal? Crerá que transformei a sua mulher, uma hipergenital, — uma poliandra, como é seu costume dizer, — ao ponto de trocá-la numa redimida, quase assexual? Belinha pensa que sim. Eu tenho as minhas dúvidas. Leo Vikar é homem lúcido, prático, experimentado, afeito a ver claro nos assuntos da vida diária. Isto não obstante, tem dado provas de atitudes pouco realistas em relação com as circunstâncias. É bem elucidativo, a este respeito, o episódio picaresco que Belinha me contou, ocorrido no arraial dos Taboões, onde ela foi professora pública algum tempo. Era pequena a população masculina, válida, do arraial. Apesar disso Belinha não encontrava dificuldades em mudar de amores, sempre que lhe apetecia. Certa vez, ela saíra de casa entre lobo e cão, indo ter a um mato próximo a fim de esperar um homem com quem marcara encontro, porém o tal, enganando-se de endereço, fora procurá-la em rumo diferente. Já estava cansada de esperar, quando viu aproximar-se pela picada um vulto de homem que lhe pareceu ser o da entrevista combinada. Erguendo-se por trás da moita em que se achava escondida, quase dera de face com o próprio marido, que se dirigia para casa por aquele caminho. Belinha, mal tendo tempo de se agachar de novo, cobriu rapidamente a cabeça com a mantilha vermelha que levava e, alongando-a com as mãos por diante da testa, como se fossem chifres, fez uma feia careta, abrindo a boca desmesuradamente e soprando como um felino: *fuá-á-á-á...*

O que a salvou foi a miopia do marido e a meia escuridão do lusco-fusco. Espantado com a inopinada aparição, Leo Vikar abriu na carreira, convicto de que vira o Diabo em figura de gente.

— Era o Diabo, tenho a certeza! contava ele à mulher, minutos depois, quando já se achavam ambos em casa.

— Diabo nada! Você é um medroso! dizia ela, para obstiná-lo naquela ideia.

Vikar acalorava-se. Era maniqueísta, acreditava no espírito do Mal, assim como admitia o do Bem. Com a ajuda da própria imaginação, passou a descrever, pormenorizadamente, o seu encontro com Satanás. Nunca vira figura tão horrenda: chifres enormes, rubros, incendidos; olhos fulgurantes, agudos como espadas; cara longa, escarniçada, malvada; risada sardônica; dentes afiados, duma brancura intensa; hálito fumacento e boca a expelir baforadas de enxofre queimado.

Belinha morria-se de rir.

— Leo, me disse ela, ainda hoje está certo de que viu o Diabo, e conta a história a quem quiser ouvi-la.

Sabe Deus se realmente o vira! Um teólogo, ou um demonologista, dar-lhe-ia crédito, ainda mesmo que conhecesse a exata versão daquela aventura escabrosa. O Diabo costuma tomar a figura feminina para tentar os homens e faz habitualmente a sua morada no baixo ventre de mulheres como a Belinha. Tem-se aí uma explicação, tão boa como qualquer outra, da inclinação de certas mulheres para o pecado, a contumélia, a traição, para o espírito de Satanás. E não há duvida que a crença no Diabo tem a sua utilidade. Belinha pode certificá-lo.

Embora inteligente e sagaz, Leo Vikar tem uma forte percentagem de imbecilidade, como acontece com tantos outros homens inteligentes e sagazes. Sua formação pragmática, seu espírito claro e céptico, de europeu ultracivilizado, não o impedem de ser crédulo como uma mulher e supersticioso como um Africano. Homo multiplex. Acho difícil, por isso, decifrar-lhe o caráter e mais difícil ainda perscrutar-lhe as intenções.

Tudo o que julgo perceber nesse espírito desconsertante é apenas isto: Vikar não se resigna a perder os beijos de Belinha. Humilha-se, decai, humilhar-se-á, decairá ainda mais, por causa deles. Ela, entanto, persiste no propósito de repelir os seus contatos. À noite, no leito, ele engenha-se em carícias e blandícias, tenta enternecê-la, sensibilizá-la, para ver se a reconquista. Em vão. Belinha volta-lhe as costas, encolhendo-se no canto da cama. Ele afaga-lhe os cabelos, beija-lhe a nuca e as orelhas, fricciona-lhe os biquinhos dos seios, exortando-a a ser boa, misericordiosa: "Irmã, tú és carne..." " Em vão. Belinha não se comove, injuria-o, expulsa-o do leito conjugal, diz-lhe que vá dormir fora, em companhia de alguma perdida, num lupanar.

Nessa hora, é força reconhecê-lo, Leo Vikar tem razão de pensar que eu lhe desnaturei a mulher e a transmudei numa tolstoiana.

Belinha suspeitou que ele abusara de seu corpo durante o sono, um destes dias.

— Sonhei que você me acariciou de mansinho e se aproveitou de mim enquanto eu dormia, disse-lhe ela censurando-o.

E ele:

— Você tem certeza que era eu mesmo? Non era o seu amante? Era, sim, confesse... Aquele miserável redentorista já está aparecendo para você em sonhos, confesse...

Exaltou-se contra mim. Revoltava-o aquele meu cinismo de procurar a sua casa todas as noites, para lhe namorar a própria mulher! Era de mais, ir lá dar-lhe palestra, *noivar* com ela, sob as suas vistas incrivelmente tolerantes!

— É monstruoso o que está sucedendo nesta casa! gritava, agitado. Non aguento mais. Deixa estarr que aquele tipo hoje me paga!

Chegada a noite, embora prevenido das avessas intenções do Húngaro, lá fui *noivar* (era bem o termo) com a sua mulher, disposto a enfrentar os acontecimentos. Só o meu assassinato me impediria de ir vê-la.

As meninas e o caçula tinham ido ao cinema com a empregada. Leo Vikar recebeu-me com a loquacidade do costume e mais mordaz do que nunca. Estabelecido na sua cadeira, soltando baforadas de fumo do seu cachimbo, falou-me de mulheres, contou anedotas escabrosas, referiu-me aventuras de amor que lhe haviam acontecido. Aludiu ao passado de Belinha e aos atrativos de sua mocidade.

— Vá buscar a garrafa de genebra, sim? pediu à companheira, que logo se levantou, dirigindo-se para a copa.

Vendo que eu a seguia com o olhar, disse para mim:

— Ainda é boa mulher, não acha? Os glúteos... olhe para os glúteos... Tem poucos encantos físicos, agora... Mas os glúteos são excitantes.

Levantei-me da cadeira e, aproximando-me ainda mais, disse-lhe em voz breve e baixa:

— Aproveite a ocasião... Mate-me agora que estamos sós. O senhor tem aí um revólver, eu sei...

— Está desarmado, disse ele, pálido, levantando-se também e mostrando-me a sua arma. As balas foram atiradas fora.

— É fácil encontrá-las.

— Non. Belinha jogou-as na latrina.

Eu bem o sabia. Por isso é que o desafiava. Desafiava-o com premeditação, de caso combinado com Belinha. Sondava-o. Se fizesse um gesto suspeito, matava-o incontinente.

Belinha voltou no momento oportuno, trazendo copos e a garrafa de genebra. A presença da mulher e o *drink* restituiam-nos a calma. Continuávamos em estado de paz armada, paz precária, que só não se rompia devido ao medo que ambos tínhamos às consequências duma solução violenta.

A face dura de Vikar abrandou-se um pouco e nela tornou a estereotipar-se o seu riso escarninho. Gracejou:

— Belinha, o senhorr Sezino é mais corajoso do que eu pensava...

— Com uma arma igual a esta, todo homem é valente, atalhei, mostrando o vulto do revólver que eu trazia no bolso traseiro da calça.

— Valente, non! corrigiu ele. Perigoso.

E explicou que até uma criança, com uma arma de fogo na mão, se tornava perigosa. A arma não fazia senão aumentar os perigos da sua irresponsabilidade.

34. ESTRANHO NA PRÓPRIA CASA.

4 de Outubro.

A única solução era Leo Vikar desquitar-se da mulher. Foi o que, por sugestão minha, ela propôs ao marido. Mas ele opôs-se à ideia com teimosia de bovino.

— Você tem fumaças de Europeu civilizado, dizia-lhe Belinha, mas, na realidade, é um Bárbaro. Um homem civilizado, num caso como o nosso, diria a sua mulher: "Tu não me amas e eu te detesto. Nunca nos entendemos bem e a existência que levamos em comum é insuportável para ambos. Por que havemos de ser infelizes na companhia um do outro, se podemos separar-nos? Queres a tua liberdade? Pois bem, és livre. O divórcio seria a solução apropriada. Como não temos o divórcio na nossa terra, o desquite supre-lhe a falta de alguma forma".

Tais argumentos não convenciam a Leo Vikar, que os repelia por julgá-los inspirados pela má fé. O desquite não lhe parecia a solução conveniente. Haviam de achar outra. Se houvesse o divórcio, muito bem, ele seria o primeiro a desejá-lo. Com a condição, porém, de que eu me divorciaria também de minha mulher para me casar com Belinha.

— O que você quer, dizia ele, é o campo livre para a libertinagem. Pense nos nossos filhos... Que vergonha, terem uma mãe perdida! Você não soube serr esposa. Finja ao menos ser mãe.

Ela protestava, zombando das suas ideias de pequeno-burguês, ele, que se jactava de ser um espírito livre e avançado! Um europeu civilizado aceitaria o desquite e, no mesmo dia em que o juiz sentenciasse a separação, celebraria com ela, na casa do advogado, uma cordial cena de despedida, depois da qual ambos se separariam como bons amigos.

Leo Vikar alçava os ombros, despicientemente.

— É isso, volvia ela. É isso. Você é um burguês pé-de-boi, um retrógrado com prosa de homem superior. Você é um bárbaro, um Wisigodo...

Mas ele, corrigindo:

— Nem Wisigodo, nem Ostrogodo. Huno. Huno é o que eu sou!

Por fim, ele já se mostrava meio disposto a consentir no desquite, mas com uma ressalva: a de que eu, logo depois, também me desquitaria de Ricardina.

— Para quê? disse Belinha. Para quê, se ele não pode casar comigo?

— Pode, sim. No Uruguai.

— Não venha com evasivas, disse ela. Você está como o cão do hortelão, que não come nem deixa comer.

E não tornou a tocar na questão do desquite.

Esta situação falsa e perigosa durou umas poucas semanas, até que Leo Vikar se deu por vencido, não sei bem se momentânea ou definitivamente. A situação era incômoda para todos nós e sobretudo para ele, que se tornara um quase estranho no seu próprio lar.

Leo Vikar saiu novamente em viagem pela zona do Oeste mineiro, vendendo rádios e vitrolas. Há dois meses que se acha fora e nesse tempo só escreveu uma carta dando notícias. Era dirigida a Vicki, a primogênita, mandava lembranças aos outros filhos e não aludia uma só vez ao nome da mulher. Está procedendo, até que enfim, como um homem verdadeiramente civilizado. Tanto melhor, tanto melhor.

Um dia destes topei o Cesário Louro, que me perguntou, a troçar:

— Já estão dormindo juntos os três?

— Ele não leva tão longe a hospitalidade, respondi. Tem ideias vagamente comunistas, mas não é nenhum carpocrático.

35. TUDO SE PAGA.

Mesma data.

Por falar em Cesário Louro... É muito bem feito o que lhe está acontecendo. Cedo ou tarde, tudo se paga. Cesário Louro, que deu volta ao miolo de tantas mulheres — todas, aliás, de mioleira escassa, — acabou comprometendo a própria cabeça. O gavião torceu o bico e destroncou as garras ao tentar prear uma franguinha.

Foi ? assim o caso. Violeta, moça de seus dezoito anos, anda batendo pernas pelas ruas da cidade, seguida sernpre de rapazes que a querem conquistar. Vive com a mãe, senhora de procedimento duvidoso e uma irmã, idem. Violeta é franzina, delgada, um bichaninho gentil, de cabelo castanho tirando a ruivo e olhos cinzentos ligeiramente atravessados. Tem um ar inocente e maneiras macias. Parece uma dessas mocinhas das quais se diz que podem receber Nosso Senhor sem confissão. Violeta passeia às tardes na Avenida, faz o *footing* à noitinha na Praça da Liberdade, dança, vai ao cinema em companhia de camaradas moços, guia as baratinhas dos amiguinhos, flirta, beija, mas não se entrega a nenhum. Entregou-se uma vez e não quis repetir a prova. Pelo menos é o que se diz.

O Cesário entendeu de lhe abater a resistência, e tanto se obstinou em conquistar a pequena arisca, que finalizou apaixonado por ela.

A casa de Violeta é muito frequentada pela rapaziada de seu conhecimento, que lá se distrai a dançar, cantar, tocar, conversar. O Cesário não dança, não canta, não toca e quase não conversa. Chega e, cheio de desejos, agarra-se logo a Violeta, querendo-a só para si. Fala-lhe em voz baixa, leva-a para os cantos, enche-a de caramelos, cumula-a de presentes, procura abraçá-la e beijá-la. Violeta livra-se dele, rindo, excitando-o com o seu esquivamento, prometendo muito e concedendo pouco.

— Não, não...

— Um beijo só, um beijo pelo amor de Deus, senão eu não durmo esta noite.

Vá lá. Violeta dá-lhe afinal a tão regateada beijoca. Cesário vai-se embora mais consolado. No dia seguinte, as mesmas insistências da parte dele e as mesmíssimas negaças da parte dela. Isto durante um mês, durante dois meses. Ela acirrou-lhe de tal forma a concupiscência, que ele, perdendo a cabeça, quis fazê-la sua amante. A pequena hesitou algum tempo. Depois consentiu. Consentiu, porque lhe pareceu mais fácil ceder do que resistir àquele assédio cada dia mais apertado.

Consentia, sim, em tornar-se a sua amante, mas havia de lhe infernar a vida, lá isso havia! Foi o que prometeu a si mesma e disse aos outros pretendentes, para os consolar.

Cesário Louro alugou-lhe então uma casa na Lagoinha, em rua de pequeno trânsito. Pôs lá Violeta, só, vigiada dia e noite por dois mulatos forçudos e de má catadura, pagos para não permitirem que homem vivo se aproximasse da casa e nem que a moça saísse fora de horas.

Um dos apaixonados de Violeta apareceu por lá uma noite, de automóvel, com um rapaz amigo. Desceram os dois e iam já entrando no jardinzinho diante da casa, quando foram percebidos pelos capangas, emboscados lá dentro. Estes ordenaram à rapariga que apagasse as luzes, e aprestavam-se, bem armados, para caírem de chofre sobre os intrusos, quando Violeta abriu, rápida, uma janela da frente e gritou para fora:

— Fujam! fujam! se não querem morrer!

Isso ouvindo, os rapazes correram para onde se achava o automóvel e trataram logo de tomá-lo. Mas, antes de o porem em movimento, a capota foi alvejada por alguns tiros. Acharam então prudente deixá-lo ali e fugiram a pé, rente aos paredões.

Passam meses. Violeta briga com o Cesário todos os dias. Está farta daquela prisão. Como livrar-se do terrível amante que a conservava sequestrada? Tem uma ideia perversa: escreve à mulher do Cesário uma carta sem assinatura em que o denuncia como tendo uma amante, dizendo-lhe o nome e contando pormenores da maior intimidade.

Dona Graciliana quase adoece de indignação e mágoa, ao receber a denúncia anônima. O Cesário ficou vinte e quatro horas em estado de pânico, não sabendo o que fazer. Passado isso, foi procurar Violeta e exprobou-lhe o inqualificável procedimento.

— Não fui eu...

— Como não foi você? É a sua letra. Nem ao menos está disfarçada. Só você podia contar tudo com aquelas particularidades. Só podia ser você, criaturinha diabólica. Estou agora com a minha vida doméstica estragada!

Violeta ficou com dó dele e quis consertar as coisas. Apresentando-se à tarde em casa do Cesário, pôde falar com a sua mulher.

— A senhora recebeu outro dia uma carta anônima...

— Carta anônima?... Como sabe? admirou-se Dona Graciliana.

— Sou a Violeta, a mulher de que fala a carta...

Dona Graciliana teve um desmaio. Acudiu do interior uma moça que amparou no colo a cabeça da desfalecida senhora, enquanto Violeta lhe aplicava palmadinhas nas mãos e nas faces descoradas. Logo que ela recobrou os sentidos, disse-lhe Violeta, explicando-se:

— Foi o irmão do doutor Cesário, o Cacau, que me contou tudo, hoje. A carta mentiu num ponto muito importante. Não é o Doutor Cesário o meu amante...

— Não. Meu amante é o Cacau...

Ouvindo isso, a moça que tinha entrado para acudir a Dona Graciliana soltou um grito e teve uma síncope. Era a mulher do Cacau, apelido familiar do bacharel Ascânio Louro, irmão mais moço do Cesário, que se casara aqueles dias.

Transcorrem semanas. Uma noite, o Cesário leva a mulher ao cinema, na segunda sessão. Mal começa a projeção, alegando falta de interesse pela fita, sai um momento a pretexto de ir comprar cigarros. Chispa logo para a casa da Violeta, no seu automóvel, e lá permanece uns vinte minutos, aproveitando a fugidinha.

— Agora, preciso voltar, antes que termine a sessão do cinema. Se minha mulher soubesse que estive aqui... que cena!

— Cena é a que eu vou fazer agora, mentiroso! Não é a sua mulher quem está esperando por você... É alguma vagabunda. Quantas mulheres quer você? Não bastam duas?

Não queria deixá-lo sair. Correu à porta da rua, fechou-a e guardou a chave. Fez o mesmo com a porta dos fundos.

O Cesário rogava, ameaçava. Os minutos corriam. Caprichosa, renitente, ela parecia empenhada em prolongar a cena. Perdendo afinal a paciência, ele subjugou-a e tirou-lhe do bolso do roupão a chave de que precisava. Com a cara arranhada na luta, pingando sangue, abriu a porta e saiu. Ela então foi atrás dele, até o patamar da casa, gritando:

— Socorro! Estão me espancando! O doutor Cesário Louro está me matando! Acudam!

A voz reboava, estridente, no silêncio da rua pacata, solitária àquela hora da noite.

Ele não teve remédio senão voltar para dentro, a fim de domar a ferazinha. Ela, porém, desceu a correr a escada do patamar, saiu para a rua e, chegando junto do bonito automóvel do amante, retirou da caixa das ferramentas uma chave inglesa e entrou a dar furiosos golpes no carro, destruindo-lhe as vidraças das portinholas, o para-brisa, os faróis e faroletes e amassando-lhe os para-lamas.

A vontade do Cesário era agarrá-la e metê-la num vidro de álcool, como se faz com os escorpiões. Mas não disse palavra nem lhe tocou sequer num cabelo. Consternado, vencido, subiu com resignação para o seu sedã de quatro portas, modelo recente, de linhas aerodinâmicas, agora em miserandíssimo estado, dirigiu-se nele para a cidade, onde o hospitalizou numa oficina de reparações. Tomou depois um carro de praça e mandou tocar para a sua casa, pois já havia terminado a segunda sessão do cinema. Para desculpar-se com a mulher, teve de inventar uma história. Vira na rua um cliente com o qual estivera a conversar a respeito duma causa importante. Tinha-o levado depois no seu carro até a Floresta, onde ele residia e, na volta fora trombado por um motorista desastrado. Saíra levemente arranhado nas faces e o carro ficara um tanto danificado, tendo-o deixado por esse motivo numa oficina de consertos.

Nunca mais quis ver Violeta. Ela, porém, ainda achou meio de lhe causar um aborrecimento nada pequeno. Um advogado caviloso aconselhou-a a exigir judicialmente do Cesário Louro um estipêndio relativo a vários meses de serviço, que ela, segundo alegava, prestara como governante em sua casa da Lagoinha. A ameaça de extorsão era completamente absurda e inoperante, porém o Cesário julgou prudente abafar o caso, entrando com o dinheiro que o galopim forense entendeu de lhe exigir.

Foi esta, segundo creio, a peripécia mais inolvidável — não direi a mais picante — da carreira amorosa do Cesário Louro.

36. NORMALIDADE.

20 de Outubro.

Tudo corre bem em casa de Belinha. Vai para três meses que não temos notícias de Leo Vikar. "Por onde andará o Huno?" pergunto, às vezes. Ela responde: "Não sei, nem desejo saber. Contanto que não se lembre mais de nós..."

Parece que ele se conformou com a própria sorte. O remédio era esse mesmo.

Tudo corre bem no nosso cômodo do edifício Santa Cruz. As horas diárias que ali passamos são totalmente doces e tranquilas, sem o menor sobressalto, sem nada que as turve. Tão doces, que correm o risco de melar e enjoar. Tão sossegadas, que tiram aos nossos encontros o elemento de aventura que neles havia até então. É o que eu temo. A mediocridade no vício parece-me tão desinteressante como a mediocridade na virtude.

Em minha casa a situação caminha para a normalidade. Ricardina também se mostra conformada. Procura não pensar no marido transviado. Cuida da própria saúde, um tanto abalada ultimamente pelos desgostos que lhe causei. Submeteu-se a tratamento médico e conseguiu tornar-se mais forte e com melhores cores. Está ficando bonita outra vez. Dona Milica, mais misseira e rezadeira do que nunca, considera-me excluído do número dos viventes.

Estou contente, Belinha está contente e seus filhos, Vicki, Lea, Arabela e Leozinho, também estão contentes. Nossa ligação é conhecida de toda a gente e já não temos motivo para ocultá-la de ninguém. Esperamos que com o tempo acabe merecendo o respeito de todos. E que os Anjos digam amém.

37. ÚLTIMAS LAUDAS

Novembro.

Era esta a situação, até há poucas semanas. De repente...

Foi no último sábado do mês passado. Havia uma meia hora que entráramos para o nosso cômodo e estávamos os dois no sofá, a ler um trabalho sobre *O cinema e a radiofonia na escola, que eu escrevera para sair publicado no Boletim da Instrução Primária* com a assinatura da minha amante, quando ouvimos o rumor de passos fortes e apressados que se aproximavam pelo corredor. Daí a segundos batiam nervosamente na nossa porta, pam! pam! pam! com os nós dos dedos. Eu e Belinha entreolhamo-nos, assustados, com o pressentimento do que nos ia suceder.

Continuaram a bater cada vez com mais força e maior insistência, ouvindo-se então a voz de Leo Vikar, que ordenava, irado, com palavras sopradas entre os dentes:

— Abram! Abram! ou arrombo a porta.

Retransido de susto, trêmulo como um velho paralítico, eu não sabia o que fazer nem o que dizer. Vi o drama, formado na minha imaginação excitada pelo temor; vi-o no seu derradeiro ato, caminhando rapidamente para um desfecho lógico. Era fácil imaginar o que se teria passado. Leo Vikar regressara inesperadamente de sua demorada viagem ao interior. "Onde está Belinha?" teria perguntado ao entrar em casa. Era a hora do almoço. "Saiu cedo, depois do café da manhã", responderia alguém. Primeira contrariedade. Esperara até à hora em que ela costumava chegar da aula. Como não a visse aparecer, saíra para a rua e andara a beber pelos botequins, para matar o tempo e afogar no álcool o seu aborrecimento. À hora do jantar voltara para casa, ficando em companhia dos filhos até depois das oito da noite. Belinha não aparecia. "Está na companhia do amante, com toda a certeza", teria ele pensado, contrariadíssimo. Encheu-se então de cólera contra a mulher viciosa e relaxada que passava os dias fora do lar, na vadiação, esquecida dos seus deveres de mãe de família e dona de casa. Era demais! Como pudera ele tolerar tantos anos aquelas traições e relaxações? Sua condescendência excluía toda comparação, não era normal. Remoía agora por dentro um desejo veemente de vingança. Sentia uma vontade frenética de castigar a adúltera, por todas as suas infidelidades, presentes e passadas. Livrar-se-ia, uma vez por todas, da maléfica influência daquele demônio súcubo que lhe desgraçara a própria vida e atormentara a de muitos outros. Acordava nele o bárbaro, o macho primitivo, egoísta e dominador, que ama e mata. Reagiria, enfim, o marido ludibriado. Matá-la-ia. Compareceria perante o tribunal do júri, acusado de uxoricídio, mas o advogado, alegando legítima defesa da honra, alcançaria a sua absolvição. Mataria os dois, se os encontrasse juntos. Ao marido que surpreende a mulher em flagrante delito de adultério, o código moral do povo reconhece o direito de matar tanto a esposa infiel como o seu cúmplice. E o júri, nestes casos, absolve o matador, ou quando não, dá sentenças brandas.

Aí está o que teria passado pela mente de Leo Vikar, escandecido pelo álcool, lacerado de ciúmes, desvairado de rancor.

Praguejando e ameaçando, arremetia contra a porta, desfechando-lhe furiosos pontapés. Eram as nove da noite. Os corredores estavam ermos. Por desgraça, não sabíamos onde se encontrava a chave da sala contígua em que ficava o escritório do Cesário Louro.

Vendo que não abríamos, Vikar meteu o ombro na porta, que era frágil e certamente não poderia oferecer grande resistência. Murmurei então ao ouvido de Belinha:

— Vê se forças a entrada do escritório e esconde-te lá.

Enquanto isso, eu sustentaria, o mais tempo possível, a porta que o outro continuava a empurrar com encarniçamento. Em vez de fazer o que eu lhe aconselhara, Belinha dirigiu-se para a janela aberta de par em par e, com espantosa agilidade, num relâmpago de tempo, galgou o peitoril e precipitou-se no espaço.

— Que horror! exclamei, correndo para a janela, a ver se ainda a retinha, quando notei a trágica resolução de minha amante.

— Que é isso? gritou Leo Vikar, que acabava de arrombar a porta e penetrava esbaforido pelo cômodo a dentro, empunhando um revólver.

Entrava no mesmo instante em que ela se lançava daquelas alturas para a rua. Viu-a ainda de pé no peitoril, uns breves segundos e, logo, projetar-se no vazio. Correu então para a janela e olhou para a calçada, lá em baixo. Medusado pelo que acabava de presenciar, eu não tinha olhos para ver. Mal me podia suster em pé, entontecido e cambaleante como um ébrio.

— Morta? balbuciei, esquecido de mim e do motivo que ali trouxera o outro.

— Que dúvida! disse ele, com as feições transtornadas pela violenta comoção.

Correu para o elevador e eu segui-o como um sonâmbulo, sem consciência, os passos trôpegos. Descemos para a rua. Quando nos aproximamos do cadáver de Belinha, dezenas de curiosos já o rodeavam, impressionados com o que viam. Juntava gente, vinda de todas as direções. Daí a momentos, a multidão que saía do cinema próximo premia-se em volta do cadáver, congestionando e interrompendo o trânsito num largo trecho de rua. Ouviam-se com interesse os comentários de três ou quatro pessoas que haviam presenciado o horrífico espetáculo. O corpo da suicida voara como um bólide desde o último andar e, antes de estatelar-se na calçada, quebrara a espinha na beira da marquise de cimento armado, já no andar térreo, indo depois espatifar o crânio no asfalto. Jazia ali como uma trouxa de carne, a face irreconhecível, banhada em sangue, que esguichara longe e se espalhara em derredor.

Matara-se por minha causa. Nobre Belinha! Não fosse aquele seu ímpeto de heroísmo louco, e é certo que ambos seríamos assassinados. Para frustrar a vingança do marido e salvaguardar a minha vida, imolara-se daquela maneira corajosa e trágica.

Não quero lembrar o que sucedeu após a sua morte: o noticiário sensacionalista dos jornais, o penoso inquérito policial, o humilhante escândalo causado nos meios em que sou conhecido. Custou-me tomar da pena para recordar aqui o horrível acontecimento. Era melhor, talvez, não o haver recordado. Daria por inacabados estes cadernos íntimos, de cujo acento, por vezes um tanto frívolo, destoa o crudelíssimo drama que truncou em forma tão brutal a minha aventura com a mulher de Leo Vikar.

Dói-me muito a morte de Belinha. Dói-me enormemente. Mas, pensando bem, chego a invejar o trágico epílogo da sua existência. Com a perda de Belinha desapareceu todo o interesse que a vida ainda poderia ter para mim. Uma alma vazia, pervertida pela imaginação, uma alma ociosa e sem calor, ao entrar na zona ingrata dos quarenta aos cinquenta anos, cai facilmente na libertinagem, resvala na crápula. Para fugir à exasperante monotonia da existência e não sufocar de enfado, tem de se aturdir nos prazeres dos sentidos. Ou então só lhe resta a fascinadora aventura da morte.

Fiz como tantos outros, na minha idade: atirei fora o lastro incômodo das obrigações morais. Tomei o partido do Diabo. Que podia eu fazer? Deus morreu há muito para uma grande parte dos homens. Mas o Diabo — aí é que está — continua vivo para esses mesmos homens, existe ainda para os que sentem a atração misteriosa do pecado.

Careço totalmente de fé religiosa. Ainda assim, penso em ir ajoelhar-me aos pés de Padre Delfino, com as palavras do *Confiteor* nos lábios: *Mea culpa, mea culpa, mea maxima culpa...* Não para salvar a alma, em cuja imortalidade não creio, mas para tentar alguma coisa que minore a tristeza e a miséria moral que abateram sobre mim.

Este livro foi composto com a tipografia Times New Roman
e impresso pela Meta Brasil.